打開天窗　敢說亮話

INSPIRATION

天窗出版

理想‧退優

羅國森 著

目錄

第一章
規劃篇

加時的
人生下半場

第二章
安居篇

有樓無樓
大不同

第三章
三合一退優篇

年金做膽
長命亦無憂

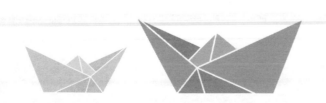

推薦序

史秀美
《香港經濟日報》集團董事總經理

為自己籌劃人生下半場

過去幾年，香港開始步入退休潮，因為五六十年代嬰兒潮出生的朋友，現在都已經陸續退休，這一班朋友有個共通點，就是食正香港70年代的經濟起飛，他們普遍具備大專以上學歷，在社會上打滾了幾十年，累積到一定的財富。

但隨著科技進步，加上醫學昌明，今時退休的朋友們，這個下半場的賽事，真的有可能加時再加時。因此，規劃自己的退休生活就變得愈來愈重要，但坊間有關退休策劃的資訊似乎仍未普及。

我就在2015年時跟羅國森商量，在《經濟通》開了第一個關於退休的專欄。

羅國森是傳媒出身，曾經是《經濟日報投資理財周刊》的執行編輯，善於文字工作，他寫的投資文章不說教，好實用，文字精鍊簡潔，例子又夠生活化，易入腦。

更重要的是，他離開傳媒行業之後，全身投入財務策劃的工作，每日都在前線協助客戶規劃財富和退休，絕對是寫這個專欄的最佳人選。

原來，不經不覺，這個專欄已經開張了7年，由於需求甚殷，現在的《經濟通》，除了羅國森的「我要退休」專欄外，還有曾智華的「快樂退休」專欄，後者已經退休，可以道盡退休人士的心態；前者尚未退休，即是要部署退休，兩者互相補足，為讀者帶來更豐富的資訊。

今次羅國森將他過去在《經濟通》的專欄文章重新整理，再加上最新的資訊，絕對是讀者之福。我誠意推薦各位閱讀這本《理想‧退優》，為自己籌劃精彩的人生下半場。

推薦序

曾智華
專欄作家

人與人之間：
風水、波段、緣分

我們的一生，會交往很多人。日子久了你會發覺，人的相交，不貴乎認識長短或見面頻率，只貴乎——風水、波段與緣分。

廣東俗語有一句——啱嘴形。

與「啱嘴形」的人相處，就似坐在一個風水優良的地方，聽一個啱波段的電台，與及，感覺到一份隨意而來的緣分。

我與羅國森相交，已達20年。初初相識，由一個cold call開始。因電台需要一位有財經知識者客串。於是，翻閱眾多財經報章、雜誌，看盡不少專欄，發覺羅國森比較正派及正氣（財經專欄界，甚麼人都有，包括「蛇蟲鼠蟻」！），分析及論點有根有據，絕不嘩眾取寵及虛浮。於是，膽粗粗提出邀約，一拍即合。

電台客串不會天長地久。一段時間後，大家分手，保持識英雄重英雄的關係，相互心中有個位置。總之，有需要，自會伸援手。

6年前，我正過着悠閒退休生活。突然間，羅國森來電問：「有冇興趣與我拍擋在etnet寫一個退休專欄？」

我爽快答：「why not ？」老友叫到，又清楚其價值觀，根本不用再查根問底。

很快，「快樂退休」面世。受落！一段日子後，市場觸覺精準的《經濟日報》集團董事總經理史秀美，立即扑鎚將這專欄一分為二，羅國森改寫「我要退休」，以佢強項理財策劃作主打。我呢，繼續快樂消遙，無邊無際寫「快樂退休」。

誤打誤撞下，小弟竟變了「退休專家」！出了3本退休心得書——《快樂退休》（紙本賣斷市，仲有電子書）、《有盈退休》及《優雅退休》。兼且，頻頻被邀到各大團體做分享會，訪問更是從不間斷！

一切，皆由廿年前一個cold call電話而起。

講理財，羅國森絕對是專家。香港55歲以上人口正邁向300萬，每個人都應為自己的未來作出規劃，以免墮入依靠政府救濟的綜援網。

沒有天掉下來的退休保障，一切，皆應由有收入開始，早早規劃。

香港投資界，非常活躍，產品百花齊放之餘，陷阱特多，「騙子」（合法或非法）更不少。若你想安安穩穩行到人生終點，必須認清甚麼金融產品是「王道」的，切勿誤入「邪道」，否則，晚景堪虞！

羅國森這本《理想·退優》正正提供非常「王道」、正路而安穩的退休規劃。內容我全面認同，現實亦在執行中，故此可以高枕無憂，過着頗逍遙的退休生活。誠意推薦大家參考！

推薦序

黃敏碩

註冊財務策劃師協會 (HKRFP) 會長

專業、貼地的退休策劃

認識作者羅國森 (Dennis) 已經接近 20 個年頭,由最初以伯樂兼前輩身分,給我機會為投資專欄撰稿,以至後來以財務策劃師身分,成為自己和家人的財富管家,Dennis 在不同崗位,都能發揮出專業精神。

喜見他的最新作品面世,本書的主旨是近期大熱的退休,但他是從實務角度為讀者策劃退休方案。本書網羅市場各種退休理財工具,並作出貼地的比較,跟坊間側重如何盡早達至財務自由的退休書有點不同。

無論是退休收息股、iBond 和銀色債券,以至近年崛起和受歡迎的年金、保單和物業逆按揭及自願醫保,他都悉數網羅。

由於 Dennis 是傳媒出身,明白讀者需要,他能深入淺出地帶出不同工具的優劣,再包裝成「三合一退休方案」,即糅合年金、債券及高息股等不同退休工具,令即將或已踏入人生下半場的讀者更易掌握。

你想點退休?睇《理想.退優》,你一定能找到你的退休解決方案!

自序

太太的女性角度 啟發理財靈感

不經不覺，我在《經濟通》撰寫「我要退休」的專欄已經 7 年了。
記得當日《經濟通》老闆史秀美找我寫這個專欄時，她指出，
香港已經進入退休潮（60 年代出生的嬰兒潮，現在都相繼退休
了），市場對退休的資訊有很大需求。

我離開傳媒之後所做的工作，就是替人安排財務策劃，我也深
深感受到，有愈來愈多客人開始步入退休之年，他們確實對相
關的資訊有很大渴求，銀髮一族是個藍海市場呢！於是，我一
口答應了。

其後，我又找來於 2014 年退休的港台前高層曾智華（人稱阿
Luke 或 Luke Sir）做拍檔，一人一個星期撰寫這個退休專欄。到
後來，史小姐又告知，專欄反應良好，想我們分拆兩個專欄。

由於我未退休，所以專欄名字就叫「我要退休」，而 Luke Sir 已經
退休，所以專欄名字就叫「快樂退休」。正因為他已經退休，時間
較充裕，他的專欄每個星期都上線，我就繼續維持兩星期一篇。

我主要從理性角度（說穿了就是從錢的角度）分析和評論退休策劃的考量，以及各種退休策劃工具的優劣；而 Luke Sir 就從感性角度，評論退休前後的心理預備，並以輕鬆和抵死的筆觸，撫慰各個即將或已經退休的「寂寞」心靈。

寫這個專欄的時候，沒有想過會將有關文章結集成書，所以，寫的時候沒有刻意順著次序去編排上線的文章，主要會以當時的熱門話題借題發揮，又或者，一個話題又會分開不同時間或篇章去闡述。

為了出書，當然要重新編排。感謝天窗出版社的各同事，尤其是這本書的責任編輯何敏慧小姐的努力，在我百多篇文章中篩選了有用的文章，再按所需的次序重新編排，實在勞苦功高。

我希望，這本經過重新整理，以及加入一些最新資訊的退休策劃書，可以協助正在籌劃退休的人士部署一個理想兼優質的退休生活。

最後，我要多謝在我撰寫退休專欄和這本書時提供過意見，或給我靈感的朋友和親人，尤其是我太太，她經常從女性角度給我靈感和精闢見解，我想將這本書獻給她。

第一章

規劃篇

加時的
人生下半場

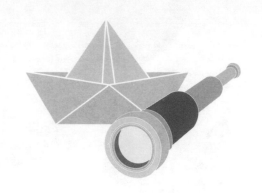

1.1
熟齡族的
3個15年

有套電視劇的經典對白是「人生有幾多個十年？」

我相信，黃金十年真的沒有多少個，每個人一生，有3至5個黃金十年已經算是萬幸了。不過，如果從退休策劃的角度，我會將上述對白改成「人生只有3個15年」！

此話何解？為甚麼我們一生只有3個15年呢？我的看法是，由36至50歲是第一個15年，51至65歲是第二個15年，而66至80歲就是第三個15年！

加時是主旋律

1971年時，男人的平均壽命是67.8歲，當年活到40歲，人生確實已走了一半；但如果2021年才出世的男士，預期壽命可達83.2歲，即是到了40歲時還未到一半，怎算中年呢？

女人的平均壽命比男人更長。2021年出生的女孩子，預期壽命已增至87.9歲，因此，對女士來說，約44歲之後才是中年，才是她們的人生下半場。

另外，人生其他階段也「加時」了，例如在過去，18歲已算成年，但已有兒童心理學家指出，現今20出頭的年輕人，心理及生理都未成熟，建議將青春期上限由18歲延至25歲。

相對我們的父母輩，不少在18歲已經離開校園（不是想提早工作，而是無錢再讀書），進入「社會大學」打滾。但今日的年輕人，升學機會更多，大學畢業後還可以再讀碩士，或者拿個雙學位，「自由職業」的選擇更多，即是說，他們要到廿四五歲後才投身傳統意義的「社會」，30歲仍未獨立者也絕非少數。更重要是，他們在心態上也拒絕長大，因此，將成年的歲數延至25歲合理不過！

而往後的人生歷程，包括結婚和生育，自不然也要往後推了。晚婚成為經濟發達國家和地區的普遍現象，再下來就是高齡產子。**人生主要階段統統都要「加時」，那麼，規劃你的人生下半場，是不是也應該準備「加時」至80歲，甚至更長呢！**

第一個15年：儲

由於人生各階段普遍都加了時，無論誰在剛踏入社會的首10年，你跟他說退休策劃，簡直對牛彈琴。**但過了36歲之後，你的心態真的要變了！因為你做的所有事，都會直接影響你的退休生活。我可以這樣說：「你在退休前所作的安排如何，你的退休日子也必如何！」**

那麼，你在36至50歲這段日子中，應該做些甚麼呢？簡而言之，你要做的，就是**累積老本、尋找老伴和老友**。當然，有些人在35歲前已經找到了另一半，或者已經有一大班老友。那麼，恭喜你，你已經為將來的退休生活打好了基礎，餘下來就是累積一筆老本，作為退休後生活之用，因為36歲還未開始儲錢（理論上應該不會的，至少你會有一些強積金），你將來的退休生活，可能會頗坎坷呢！

我形容，36至50歲這段日子，是退休前的安排。我相信，大部分人在這個年紀，應該仍在工作和打拼。

第二個15年：保

到了第二個15年，即51至65歲的階段，我形容為退休之時。這段日子中，有些人可能剛退休了（無論是自願或被迫），也有些人仍然在工作，但基本上已經可以退下來。

而這段日子需要為退休安排的，**就是「保存老本」和「規劃」自己的健康**。如果在上一個15年累積下來的「老本」，一下子丟失了，退休的日子會很潦倒；但保存了財富，卻失了健康，則甚麼退休生活也無你份了。

當然，今時今日，50或50開外的朋友，無論男女，絕大部分都未有老態。我身邊就有不少女性朋友，碰上一些50＋男士，也會被他們的魅力和品味吸引著，發展忘年戀呢！年紀對男士而言，要是事業有成，但仍然活力充沛，可謂很大「加分位」。

第三個15年：享受

至於第二個15年，則是由66至80歲，我形容是退休之後。不過，大家可能馬上會問，為甚麼只到80歲？的確，現世代大部分人都講究養生，壽命更長。若到了80歲，仍很健壯，那麼你還有第四個15年！

有些人在80歲之後，可能再活一段長時間，有些則可能只多活

幾年，所以，我暫且不列入退休規劃之內！在這個15年之中，我認為最重要做的，就是有足夠的老本，跟老伴、老友一起，好好享受生活，做一些力所能及，但又能夠令自己開心，甚至其他人開心的事情，更要好好安排自己的財富，遺愛人間！80歲以後的「加時」時間，都是額外贈送的。

上面我談到的規劃，主要是以兩夫婦，並育有下一代（一般以兩個子女為準）來規劃，但如果你/妳是單身，或者膝下無兒，又或者還有兩大、甚至四大長老（包括配偶的父母）在堂的話，規劃上或會有點不同。

單身的讀者，即是你累積的財富，夠自己用便可，完全不用考慮財富承傳（除非慈善捐獻）。但另一方面，晚年的日子就要再詳細部署，因為當健康轉差，例如行動不便，就可能要請工人照顧，又或者入院舍，這都需要額外一筆開支。

如果只是你自己兩老退休，同樣地，你們的老本夠兩個人用便可，不用考慮承傳，除非你們也想捐獻。但沒有子女的看顧（不要期望貼心和貼身的照顧）。當老伴先行離去的時候，另一人等同單身終老，情況就如單身者，也可能要有一筆預算請看護或入院舍。

如果你這樣幸運，到這一刻，長老們仍健在。雖然說「家有一老，如有一寶」，但萬一他們的健康出了問題，同樣需要預備一筆額外的照顧費用，要不就是工人的人工，要不就是院舍的費用。

當然，如果你有子女，甚至有第三代的話，以今時今日的父母計，可能除了部署自己的退休外，還要撥出部分資金來支持他們的置業需要，最終又或者要保留部分財富，作為承傳之用。那麼，你部署退休時，就要盡量以「食息唔食本」為主要的資產配置了。

1.2
策劃退「優」
先問 3 個問題

開始策劃優質的退休生活，你必須先問三大問題：

- *你想幾時退休？*

- *預算退休後，你的退休金要用多久？*

- *預算退休後，每月開支是多少？（住屋、醫療和一般開支）*

時間數據　決定退「優」成敗

第一個，當然是你想幾時退休。這個數據，很多時可以自己「決定」，但放眼今天，也可能是不由自主的。我身邊一班剛「入五」不久的同學或朋友，已有幾位在自願和非自願的情況下退休了。

第二個數據則「靠估」，就是你退休後，你的退休金要用多久。又或者，簡單直接的問法是，到底你預計自己會活多久？！這個數據很重要，因為整個退休計劃的成敗，很大程度取決於你的退休金到底要用多久（即是你會活多久）。只可惜，這是一個「斷估」的數據。不過，靠估之餘也有客觀成分，最主要是男性和女性的平均預期壽命。

以現今預期壽命計算，大家至少要預自己活到85歲，這樣才切合現實，也較穩妥，這是客觀層面的估算，但主觀因素方面，即是你預視自己的身體狀況，個人健康主宰你可以活多久。所以，到底可以活多久，包含主觀和客觀成分。

換句話說，如果你預計自己可以活到85歲，並想60歲退休，你的退休金便要夠用25年；但假如你想55歲退休，你的退休金便要夠用30年；如果你想提早到60歲，甚至更早退休，那你的退休金便要足夠用上35年，甚至更長。

提醒大家一點，如果你想實現FIRE族（Financial Independence, Retire Early）的理想，提早退休，就等於你工作的年數縮短了，例如你22歲初入職場，但想50歲退休，並估計自己會活到85歲，就等於你工作28年的收入，要足夠63年用；如果你可以等到60歲才退休，就等於你工作38年的收入，攤開63年用，這樣就輕鬆一點。

簡言之,愈想提早退休,要準備的退休金便愈多,又或者說,你工作期間要賺愈多錢,因為工作賺錢的時間和退休用錢的時間,正是「此消彼長」的關係。

開支數據　決定退休模式

好了,你計劃好何時退休,以及估算過自己的退休金要用多久後,接下來一個很重要的數據是:你預算退休後,每月的總開支是多少?這數據需要包括住屋、醫療,以及一般開支。

其實,最難預算而又最大宗的退休開支,是住屋和醫療費用。**大家想退休時,一定要先解決住的問題,即是至少要有一個可以無限制地居住的「老巢」**,不用擔心被逼遷,而且不用擔心被大幅加租。關於住屋開支、自住物業及出租物業的種種考慮,我會在第二章〈安居篇〉詳談。

至於醫療開支方面,我建議大家透過購買住院醫療和危疾保險去保障自己,而每年要交的保費,就計入你的每月支出中。即是說,將本來是非經常性的支出,轉化為經常性支出,那就更有預算了。有關醫保和危疾保的安排,我會在第六章〈保險篇〉再仔細討論。

再下來，當然就要估計退休後的每月一般開支，這是退休策劃的重要一環，關乎退休的生活模式。這方面，大家可以參考自己現時的每月開支和生活水平，但要注意的是，退休後的生活其實較全職工作時簡單，至少不需應酬、用的不需要那麼講究，故一般開支會減少。但如果你很「年輕」便退休，我肯定你最大的開支是旅行和社交使費。

大家心水清的話就會明白，有了每月開支的預算，就不難計算到要準備多少退休金了，例如你估計退休後每月總開支只是一萬元，而你的退休金預計要用20年的話，就等於你要準備240萬元了！

大家可以善用坊間的免費計算工具，例如積金局網站設有「退休策劃計算機」，只需輸入現時年齡、預期退休年齡及開支、投資回報及通脹率等資料，就能估算退休所需金額。

以上是以量化分析（Quantitative Approach）來計算退休所需，但大家也可以用質化分析（Qualitative Approach）來推算你的退休需要。幾年前，滙豐銀行設計了一個「退休策劃指標」，按照不同的生活方式，給出一個預算開支，我覺得頗具參考價值，跟大家分享一下。

根據滙豐2018年初公布的《滙豐退休策劃指標》報告，訂出4種退休生活模式，分別為「基本」、「簡約」、「舒適」及「豐盛」，不同的退休生活方式所需的每月開支和退休總開支都不同。

圖表 1.1 《滙豐退休策劃指標》各種退休生活方式的預算開支

	每月開支（港元）	退休總預算開支（港元）
基本	$6,640	$1,992,200
簡約	$10,985	$3,295,500
舒適	$21,120	$6,336,000
豐盛	$37,475	$11,242,500

*假設60歲退休，生活至85歲

不同的退休生活態度，所需的使費不盡相同。參考圖表 1.1 的滙豐報告分析，以單人計算，退休後每月所需開支金額介乎 6,640 至 37,475 元。

基本至豐盛　6,640至37,475

基本、簡約、舒適和豐盛生活單人預算分別為港幣 6,640、10,985、21,120 及 37,475 元，以居於私人物業（已還清按揭）的簡約和舒適生活為例，每月退休開支就相差超過一萬元，全年則多於 12 萬元。

這開支數字會直接影響你現時月儲金額及消費模式，故此我建議，你可於指標挑選一個與自己相近的生活模式，評估日後退休

開支（請注意，這是2018年的數據，因應通脹上升，實際數字可能增加了）。

退休生活因人而異，又頗具彈性。不過，總的來說，如果退休前你過著中產生活，退休之後，你絕對不會想過刻苦的生活吧！同樣地，你應該也不會想越級去過富豪的生活吧！所以，你退休前的生活如何，退休後的生活也必如何！

當然，每月的實際支出可能會比退休前減少一些。退休初期，當健康仍伴著你時，日常開支未必會減少很多，應酬和旅遊開支不一定減少，甚至有機會增加，但「裝身」開支可以少一些。但以長線角度看，退休後整體開支，應比退休前略少。

退休4式的相異之處

在該4種退休生活模式（詳見圖表1.1）中，「基本」生活是假設退休人士居於公屋，單身人士每月預算6,640元，逾半開支花費在食物上，不足兩成花在房屋，但整筆退休開支也要接近200萬元。

而「簡約」的退休生活，則假設退休人士居於私人物業，但已還清按揭。根據估算，單身人士每月的支出要10,985元。假設你60歲退休，活到85歲，想過「簡約」的退休生活，你要預備330萬左右才足夠。在這每月開支中，有三成七是花在食物，三成花

在房屋；而「簡約」跟「舒適」最大的不同是，後者加入了外傭的開支，約佔每月預算的四分之一。

至於「豐盛」的退休生活，除了每個退休項目更講究之外，也假設了更多休閒、旅行和社交活動。根據估算，每月開支大約要37,000多元，而整筆退休開支就要過千萬才足夠。

以我自己為例，我不預期過「豐盛」的退休生活，所以，我自己的退休生活方式應該介乎「簡約」和「舒適」之間，因為我喜歡旅行。

不要低估差餉、地租和管理費

但有一點要提醒各位，如果你居於私人物業，以「簡約」的生活方式退休，以上的估算相信有多無少。因為今時今日，就算還清了按揭，也不要低估每月的差餉、地租和管理費支出，三者加起來最少2,500元左右。物業愈新，管理費愈貴，有些新樓的管理費每月超過4,000元。還未計水、電、煤、電話和上網等必需開支，這幾項必需品開支加起來，隨時超過1,000元呢！

如果大家不是公務員，沒有長俸，退休時沒有400萬左右在手，即使以「簡約」生活方式，也難以退「優」呢！

強積金不夠養老　需額外儲退休金

你可能會問，我雖然沒有長俸，但一直有供強積金呢！那不要怪我潑冷水，你的強積金供款，只算是「聊勝於無」。

《滙豐退休策劃指標》報告發表時，滙豐香港退休金主管葉士奇表示，若港人單靠強積金供款，不足應付日後退休所需。以上述4類模式作參考，以現值計港人有需要額外儲蓄約20萬至620萬元，以將來價值計則須額外儲蓄70萬至1,910萬元。如果不太掌握到以上強積金及退休總預算的開支數字，我可再以「簡約退休模式」個案，再作解說。

▶ 簡約退休模式

假設背景：
- 30歲成為強積金計劃成員
- 選擇「簡約」的退休生活模式
- 退休生活65歲至81歲

開支計算：
- 單人現時**每月開支為10,985元**
- 總**退休儲蓄需要現值為210萬元**，將來價值為660萬元

強積金供款（假設退休前回報4%）：
- 累計權益現值：110萬
- 將來價值：330萬元

換言之，只靠強積金的110萬元，不夠退休。即便「簡約」型退休，你也要退休時已有額外老本100萬元，才可以足夠慢慢「搣」，以應付「加時」退休時期所需要的660萬元將來價值。

所以，一旦你訂立了退休目標後，就要盡快作出規劃，檢視並利用現有資源平台，為退休儲備增值。除強積金供款外，還應在經濟能力許可的情況下，考慮其他財富增值方案，打好退休儲備的基礎。從踏入職場開始，愈早為退休做準備，積極累積退休本金，複息效應愈大，愈能提高本金的增值潛力。

1.3
認清退休的敵人及朋友

上文提供了幾個退休生活模式給大家參考，讓大家對退休支出有個概念。其中提及，即使選擇「過得簡約」，每月支出接近 1.1 萬元，60 至 85 歲這個 15 年，至少要有 330 萬資產才夠用。

理論上，如果你退休時手上有 330 多萬元資產，可以保證你過「簡約」的退休生活，但其實，大家還要面對另一個風險，那就是退休的大敵——通脹。

通脹猛於虎

試細想，如果你馬上退休的話，這 1.1 萬元的支出預算還算接近現實；若你是 5 年後，甚至 10 年後才退休的話，這個 1.1 萬

元的預算支出，還得加上通脹這個因素，這也是前文所說的「將來值」！

通脹是甚麼意思？簡單來說，就是金錢的購買力下降。同一筆金錢，在通脹的影響下，已經無復當年的購買力。所以，我經常跟客戶說，退休的最大敵人是通脹呢！

身為財務策劃顧問，我通常建議客人以 **3 至 5%作為將來的通脹預測。但究竟選擇 3%還是 5%？這很視乎經濟大環境，以及你對通脹的預期或憂心程度。如果你擔心通脹的話，我建議你以 5%作為估算準則。若不，我認為，4%也足夠了，因為回望最近 10 年，通脹率都不超過 4%。**

展望再長一點，除非出現不可預計的事情，例如世界大戰，又或者耗盡某些資源，導致惡性通脹，否則，5%的通脹預期都應該足夠。

通脹率 vs 投資回報率

為方便說明，我們假設未來 10 年，每年的通脹率真的是 5%，那

麼，10年後的1.1萬元會變成多少呢？答案是17,917元（**計算方法是將1.1萬元乘以1.05的10次方**）。即是你要保持現在1.1萬元的購買力，10年後你就要預備17,917元。

如果是這樣的話，你便可以計算到，你的退休儲備其實需要537.5萬元（**17,917元 × 300個月 = 537.5萬元**），而不是330萬了。不過，大家或許馬上會問：「退休後也會有通脹，那又怎麼預算呢？」

對的，退休後當然也要面對通脹問題。不過，從理財策劃的角度，我們會假設你在退休的一刻，便擁有537.5萬元，這樣的話，這筆退休金應有一個回報率。如果以保守方式投資，例如存在銀行（活期存款回報當然少到不行，定期存款回報則高一點），又或者買一些債券、定息工具等保守投資，也可以得到大約幾厘的回報。

一般情況下，通脹愈高，存款息率也會調高。因此，為了簡單計算，大家可以假設退休後的通脹，可以由存款利率或其他定息收入抵銷了。所以，就以10年後的17,917元，直接乘以退休後要用錢的月數，也是可以的。

當然，從理財角度看，**如果通脹率和退休後的投資回報率（指存款利息或債券收益率等保守投資）有差異**，**尤其是通脹率高於大部分投資工具的平均回報率時**，那麼，「簡約」方式的退休金，就需高於537.5萬元了。

退休投資有 4 至 5% 回報，夠嗎？

如果想為退休金建立一個投資組合，你認為退休後的投資，應該要求多少百分比的回報呢？

你應該明白，在大部分情況下，投資回報與風險是成正比的。更重要的是，當你想將退休金投放入股市之中，你不應混淆買增長股和收息股的目標。

這也難怪，因為買增長股時，眼看股價大幅上升，實在是很吸引的，例如近年買入比亞迪（01211）的投資者，即使恆指在 2022年屢創新低，但它在最近 3 年仍爆升 4 倍多，但增長股很多時會大上大落，你要承受極大風險，即使是買入股王騰訊（00700）的投資者，2011 至 2021 年間確實升足 20 倍，但從 2021 年股價高位計，也可以在一年間回落近七成。

圖表 1.2 比亞迪股份 (1211.HK) 股價 (2012-2022)

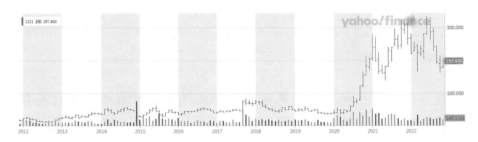

資料來源：YahooFinanceChart

圖表 1.3　騰訊 (0700.HK) 股價 (2013-2022)

資料來源：YahooFinanceChart

當然，如果你現在策劃退「優」，主力去累積收息股的話，眼看那些增長股順風順水，長升長有，而自己的股票卻升得慢，甚至原地踏步，難免會恨得牙癢癢，甚至有點心理不平衡。不過，既然自己是在累積收息股，就應該以收息股的心態和角度去衡量，而不應用增長股的角度去評價。

何謂收息股的心態和角度，那就是，賞收息股，看重的不是短期的股價升幅，而是長遠的派息能力，兩者不應該混為一談！那你可能會追問，累積收息股的話，長遠預期的回報率應該是多少？

以從理財角度看，如果以市場公認的無風險利率指標，即美國的國債孳息率來作參考，**現時的美國 30 年長債孳息率大約 4.2% 左右（近年最低曾經跌穿 3%）。在 2008 年金融海嘯前息率高企的時候，美國 30 年長債孳息也不過 5% 左右，因此，作為退休後的回報要求或預期，其實，4 至 5% 已經算合理了，但凡超過這個預期的，都必須要冒額外的風險！**

當然，最近一年，即2022年初起，因為新冠疫情和俄烏戰事，令到歐美國家的通脹高企，也導致央行大幅加息，但長債孳息也不過回升至4%以上，可見4至5%的預期回報要求都應該是合理和可達到的。

提早累積收息股

當然，當退休遇上資產大升或大跌，情況可能大不同，正如買樓一樣，當樓價升得比租金還要高時，買樓收租的回報會變低，股票也一樣。同一個道理，如果你是在低位買入股票或物業，只要股息或租金回報率維持，你的息率回報其實會更高。

舉個例，如果你用50元買入某股票，當時該股票的每股派息是2.5元，股息率就是5%。到了今日，假設該股票已升至60元，但仍維持5%的息率，即是每股派息3元，但你是用50元買的，所以，你自己的股息率其實是6%（**3/50 x 100%**）！

所以，我經常鼓勵朋友或客戶，如果可以的話，不妨提早累積收息股，將來的回報，真的不止4至5%那麼簡單，甚至有機會高至10%以上呢！

關於累積收息股的心得，我會在稍後章節，詳細談論。

1.4
三合一退休方案

上文提及，身為財務策劃顧問，為客人策劃退休時，都會問客人3個問題：一是想幾時退休；二是預計退休金要用多少年；三是退休後每月預計開支是幾多？

食息又食本　隨時打爛飯碗？

不過，我想指出的是，這種學院派的退休策劃方法，是用「食息又食本」的概念主導的，即是想計算出一筆退休儲備，連同它產生的利息，啱啱好用到離開世界那一天。當然，用這種方法去策劃退休，最大好處是所需的老本不至太多（因為本金也會用到盡）。

但很明顯，這絕對是高難度動作，萬一退休期間的利息回報低了，又或者比本來預計的壽命長了一大截的話，那麼，你就隨時可能打爛飯碗了，正如俗語所謂「收尾嗰幾年就真係唔知點算！」

如果以另一角度去預想，完全以「食息唔食本」的方法策劃退休，那又會怎麼樣？假設退休後每個月要兩萬元使費，而你的彈藥（老本）能提供4%的現金流，即是你要擁有600萬老本才可以退休（**600萬 x 4% = 24萬，除12等於2萬**）。

但如果是「食息又食本」的話，同樣每個月想要2萬元開支，而你的老本又可以提供4%現金流，只要你確定這筆錢只需要用20年的話（例如60歲退休，用到80歲），你的退休老本只需約300萬便可，即是大約可以少一半！

但正如我所説，這樣做的風險其實很高，但完全要「食息唔食本」，需要累積的老本又太多，到底如何取捨呢？

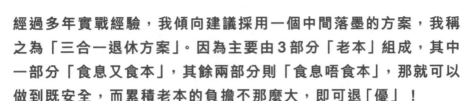

三大老本：年金、債券、高息股

經過多年實戰經驗，我傾向建議採用一個中間落墨的方案，我稱之為「三合一退休方案」。因為主要由3部分「老本」組成，其中一部分「食息又食本」，其餘兩部分則「食息唔食本」，那就可以做到既安全，而累積老本的負擔不那麼大，即可退「優」！

假設你退休後每月總開支需要2萬元，而這2萬元開支由3部分資產組成，主要目的是分散風險，因為我們不可以把所有雞蛋都放在一個籃子呢！

第一組資產是年金，第二組是優質收息股，而第三組是一些保守的定息工具，包括債券、票據或一些儲蓄保險等。當中的年金部分是「食息又食本」的，其餘收息股和定息工具兩部分則是「食息唔食本」。

你或許會問，為甚麼其中一種資產不是收租物業呢？傳統智慧告訴我們，買樓收租是最佳的退休方案呀！不錯，如果大家手上已經有一個投資物業可以收租的話，我當然恭喜你，因為現在一個普通的收租物業，閒閒地每個月可以收到過萬元租金，一個唔覺意，可能已夠你半個月的退休開支了。

但問題是，如果這一刻，你還未持有這個收租物業的話，現在的入場門檻已經很高，但如果你個人真的喜歡物業，我也不反對。

不過，我想講講我對物業作為退休資產的看法。首先，買樓收租牽涉的行政管理相對其他資產複雜，例如租客退租、租霸、單位維修，以至屋苑維修等等。當我們年紀漸大的時候，未必有能力或者有體力應付。因此，我個人認為，如果想有收租物業，一個已經足夠，如果一個以上，一來是風險太集中，二來是管理上會更複雜。當然，如果你有可靠的人幫忙，就另當別論。

政府年金　食息又食本

第一組資產——年金計劃，其實是退休保險的一種，它的好處是保本和回報穩定。退休的時候可以每月定時定額獲發現金，直至退休期結束，又或者自訂收取年金的年期或直至終身，這種是「食息又食本」的退休方案。

幾年前香港政府推出的公共年金，是給自己製造長俸的方法。具體做法是，當你退休時，一筆過支付保費，便可享有終身退休金，但最初要65歲才可以買。後來，政府年金逐步改良，例如放寬個人投保上限，最初每人可投保金額只有100萬元，後來提高至200萬元，到近期更大幅提高至500萬元。

以60歲人士投保500萬港元為例，男性及女性分別可獲發25,500元及23,500元的每月年金。如果兩夫婦一起投保最高金額，二人每月合共便可以支取49,000元退休金。

以今時今日一般中產的退休人士來説，這算是較吸引的計劃了！而且，這是上限，也不是要每個人都買500萬，但這樣就靈活得多了。

除了政府年金之外，私人市場也有年金，主要是由保險公司提供。不過，香港私人市場買到的年金，其實是變種的。第一，大部分都不是一筆過支付，而是定期儲蓄，直到累積至一定數額，才以年金形式支取，而且也不像外國的年金，萬一短命，而又沒有選擇至少支付10年的話，整筆本金就會化為烏有。

香港私人市場流行的年金，如果太早離世，戶口內仍然會有一大筆錢留給自己家人的。我之所以説年金是食息又食本，主要因為如果自己長命，一直支取下去的話，最終是會蠶食到本金的，最後所餘的錢不會太多。

關於各式各樣的年金及其考慮，我稍後會在第三章詳談。

優質收息股　愈早擁有愈好

第二組是優質收息股，你的三合一退休方案，來自股息的收入會佔未來退休收入的三分一。

假設你計算過，你退休後每月的收入最好有3萬元的話，那來自股票的收入便剛好是1萬元，一年的收入便是12萬元。接下來，

你要有一個股息率的估算，要說得上是高息股，股息率最好有4%或以上。

就假設股息率是4%，如果一年要派到12萬元，很簡單，只需要用12萬去除4%，即是你要累積300萬元左右的高息股（如果股息是5%的話，只需累積240萬元左右的高息股），就可以達到每年收息12萬的目標。

驟耳聽來，要累積300萬的高息股不容易。但只要你愈早累積，有可能不用300萬元便達標，因為這些股票有機會升值；又或者，如果你現在投入的資金達到300萬的話，將來你的股息收入可能會大幅高於4%。

以上兩點，其實有關連。如果你在累積這些高息股時，這些股票已經升了，到最後，你可能不用投入300萬，便累積到足夠市值的股票了。另外，如果這些股票的派息能夠穩步增加，到你退休的時候，所收到的股息率已不止4%了。

我舉個例，如果你在退休前以10元買入一隻股票，當時的股息率是4%的話，即是每年派息0.4元。假設到你退休時，該股票已經升至15元，而它的股息率維持在4%水平，如是的話，即該股每

年派息0.6元，而不再是0.4元。不要忘記，你是以10元買入該股票的，如果派息0.6元，你的股息率便是6%，而不是4%了！

那我們應該怎樣累積收息股呢？我認為，一方面可以透過月供股票的形式來累積；另方面，可以趁每年底有一筆額外的花紅或收入時買入；又或者，索性趁每次股災之後，股價低迷時收集。

退休後開始月供股票

因為我對股票較熟悉，退休之後我肯定會繼續投資，目的是要抗通脹。但我不會以一筆過的方式買股票，而是會月供股票。假如每個月我有3至4萬元定息收入（每年40至50萬被動收入），我不會完全花光。我大概會以2,000至3,000元用來作月供投資，買的就是優質收息股。

為甚麼股票可以抗通脹？理論上，在高通脹的時候，企業應該更容易賺錢，也因此，股市在高通脹的時候，往往都是上升的。月供股票的最大好處始終是不用去「判斷巾況」（Time the Market），只需要「選擇好股」（Pick the Right Stock），我認為，挑選優質好股要比判斷市況容易得多。

再者，經常不斷判斷市況去高沽低揸是很累人的事，退休之前做已經夠勞累了，我不想退休之後再傷腦筋，所以，我只會透過簡單的機制如月供股票去增加一些股票。

關於如何挑選優質收息股，我稍後會在第四章詳談。

定息工具　低風險的定心針

第三組資產是一些保守的定息工具，包括債券、票據或一些儲蓄保險等。香港政府近年開始發行iBond，亦有發行「銀色債券」（即長者iBond），這些定息工具的出現，其實是對退休人士的喜訊。如果你已屆60歲，那你已經有資格認購銀債了。

iBond的保證息率有兩厘，萬一通脹高於2%，還有機會賺取超過兩厘的回報。

而銀債的保證息率更是4厘（以2022年的一批銀債計），比iBond的兩厘再高兩厘，而比銀行存款的0至一厘息（以2022年年中之前計），高了3至4厘多，簡直是超吸引了吧！

至於銀債，近年的銷售對象由過去的65歲，降低至60歲，這一個轉變已經吸引更多銀髮族認購，因此，政府也將發行額由2020年的100億（其後增至150億）大幅增至2022年的350億元（最終增至450億元）。即是說，發行額是2016年最初推出時的15倍（最初發行30億元）。（見圖表1.4）

無論你已經退休，還是仍未退休，銀債都是很好的理財工具，值得認購。只不過，以目前的發行額和認購額來計，你不能預期分

到太多。2022年的第七批銀債，合共有近29萬人認購，認購金額高達624.6億元，結果，最多也只能分到21手，即21萬元（大部分都只分得20萬元）。

當然，這個金額仍未滿足退休人士的需求，但作為退休理財的一部分，也是值得認購的，因為這幾乎是無風險的投資嘛！

企業債「兩頭唔到岸」

除了政府發行的iBond和銀債之外，大家也可考慮企業債，因為企業債的回報比政府債券高。但最近一兩年，一聽到企業債，你可能馬上聯想到內地房地產企業發行的債券，俗稱內房債。

而聽到內房債，大家必定「聞債色變」，因為自從中央政府定出「三條紅線」之後，便引爆了內房的債務危機，個別內房企業因為違約，令到內房債的價格大跌，投資者損失慘重（「三條紅線」即剔除預收款後的資產負債率大於70%、淨負債率大於100%、現金短債比率小於一倍的房企均不獲融資）。

但內房債也只是其中一種企業債,大家也不要因為內房的債務危機就完全否定企業債的投資價值。只不過,我認為,小投資者買企業債的最大障礙,不是找不到優質的企業債,而是入場門檻太高。現時在銀行買到的企業債,一般都要20萬美元才可入場。如果「全副身家」都買一隻企業債,就要冒上「集中風險」(Concentration Risk);要分散,就要更多彈藥,這是不是有點「兩頭唔到岸」呢?

派息基金放眼全球

除了政府和企業的債券,近年零售市場流行**可派息的基金**。其實,派息基金和高息股有點相近。但派息基金的投資對象廣闊,除了股票之外,還可以是政府債券,又可以是企業債,又或者兩者合而之一。

而且,投資對象也不止局限香港,而是放眼全球,因此,可以達到分散風險的目標。我自己形容,派息基金是是高息股和定息工具的混合體。下文我會再詳細解釋派息基金的運作和優缺點。

除此之外,作為定息工具的選項,最「古老」的**儲蓄保險**也是可以考慮的。但我要強調,我所指的儲蓄保險,是真正的儲蓄,即沒有人壽保障成分的儲蓄計劃,長遠可提供大約4至5%的年回報。但近年保險公司就著這些儲蓄計劃,都提供「現金支取功

能」，變相等於年金。下文我會在「變種年金」中再詳細解説。關於如何投資定息工具，第五章會分享。

圖表 1.4 各批銀色債券保證息率和認購反應

發行年份	2016	2017	2018	2019	2020	2021**	2022**
保證利率（厘）	2	2	3	3	3.5	3.5	4
有效申請（萬宗）	7.6	4.48	4.5	5.6	13.52	25.68	28.96
有效認購金額（億）	89	42	62	79	432	678.6	624.6
發行額（億）	30	30	30	30	100#	240##	350###
超額認購（倍）	2	0.4	1.07	1.63	4.32	1.83	0.79
最多獲配手數 *	5	10	8	6	14	14	21

*每手 1 萬元
**60 歲或以上可認購
#最終發行額 150 億元
##最終發行額 300 億元
###最終發行額 450 億元

退休投資　首重現金流

我推介的「三合一退休投資方案」中，一部分是收息股，一部分是終身年金，另一部分是一籃子的收息工具，包括債券、派息基金或高息貨幣等等。這幾類資產都有一個共通點，就是能夠提供現金流！

因此，對於退休人士來說，你買入任何資產前，都必須先問，該資產能否提供現金流。如果沒有，你最好不要考慮。如果有，才去問風險高不高。

早前我跟一位剛退休、但仍然活躍股場的朋友Edwin碰面。他告訴我，他大部分財富來自股票，所以對股票情有獨鍾。退休後，他花更多時間「炒股」，而他的股票組合中，有一些是長期持有，也有息派，但這部分佔比不多。他喜歡自己研究，以及發掘未為人識的股票。他認為，買入一隻「識於微時」股票的滿足感，是不能用金錢去衡量。

「我認為，我的投資只要每年有一成增長，就已經好過每年收息4至5%的股票了，所以，我的股票組合中，不是所有都有息收，我仍然以資本增值為主要的投資目標。」Edwin告訴我，他退休後的投資心態。

「你現在全身投入股市，沒有感到股票市場那種反覆無常嗎？」我問Edwin的感受。

「當然有，但這是樂趣之一，我承認，有時我也感到一點壓力。而且，我也不是長勝將軍，不是每隻股票都賺錢，有些股票現在還被綁住呢！」

「但其實，你有沒有想過，先篩選一些有息派的股票，然後才去評估是否『抵買』？因為萬一際遇不佳，買入之後要坐艇，也可以有股息收入，不至於完全鎖死資金？」

「嗯，有想過，但可能是我退休前買的股票，也不注重派息，只看是否有得升。」

「但現在你已經退休，沒有收入，你不認為，有現金流的資產更可貴嗎？」

「你說得有道理，或許我應該找個平衡點！」

1.5
退休大計
極具彈性

我一向認為，除了自住物業之外，累積到1,000萬港元的資產便可以安心退休了。我以「三合一」退休方案為依歸，把這粒「種子」分散放在3種投資工具之上，當中會包括年金、債券和高息股，最大目標是保住這1,000萬本金，每年賺取4至5%的利息回報，作為退休後的生活費。

你可能會問，那臨近退休仍未累積到1,000萬港元的資產，應該怎麼辦？

退休後的生活水平有多高，其實因人而異，更可以存在彈性的，不一定要完全等同退休前的生活水平。一如我們父母輩的教導般：「做人嘅嘢，有就使多啲，冇就使少啲囉！」而且，每個人有多長時間去花錢，其實都不到自己揸主意，還得看老天爺怎樣安排！

而且，香港按揭證券公司已經推出了物業和保單的逆按揭計劃，令有樓有保單的退休人士，可將這些物業和保單的價值釋放出來，不需變賣物業或斷保，每月也可產生穩定的現金流。退一步說，香港政府提供長者生活津貼，令基層階層的退休人士也有最低的生活保障。

有樓有保單　以逆按揭自製長俸

推出多年的**物業逆按**，又稱**安老按揭**，是你把已經供滿的自住物業再按給銀行，所以稱為「逆按揭」，只要55歲就可以參加。這種安排也是將一個不動產的價值釋放出來，讓你除了可以享用這個不動產提供的居住價值之外，還可以享受它提供的現金價值。

雖然按揭證券公司只接受某些物業安排逆按揭，樓齡50年以上，以及有轉售限制的物業，都不可成為逆按揭的抵押物業，居屋就是最明顯的例子。但近年政府已放寬有轉售限制的物業，也可以納入逆按揭的可接受物業範圍內，再加上政府的大力宣傳，近期申請逆按揭的退休人士愈來愈多！（我會在第二章〈安居篇〉詳談物業逆按揭的考慮及最佳安排。）

除了放寬更多類型的物業作為逆按揭的抵押品外，近年按揭證券公司也推出了**保單逆按揭計劃**，申請人可以用手上已供滿的人壽保單作為抵押品，以提高每月可支取的退休金。而且，用作抵押

的保單數目不限，只要所有保單加起來的保額，不超過1,500萬元便可以。

我舉個例，如果是物業的逆按揭，以一位60歲的申請人來說，選擇支取10年退休金，以現時的息率水平計，每100萬的樓價，每月可支取3,700元；如果終身支取，則每月可支取2,000元。如果申請人有另外的100萬元人壽保單保額，該申請人可支取的退休金便可增至6,500元（10年支取期）或3,520元（終身支取）。

將人壽保單納入逆按揭作為抵押品的具體安排，跟安老按揭，即物業逆按揭一樣，當身故時，按揭證券公司取得你的身故賠償。如果金額仍不足以償還欠款，差額才由按揭證券公司承擔。

當然，以壽險保單作為抵押品會有少許限制，最主要是已經供滿的保單，而且是可以轉讓，以及沒有更改受益人限制的保單，其他要求還包括：

- 不涉及任何投資成分；
- 以港元或美元為貨幣單位；
- 以逆按揭申請人為保單持有人及受保人等等。

供滿保單　不如套現？

但如果你有供滿了的人壽保單，但不想安排逆按揭，那又是否可以「套現」呢？

其實是可以的，但不是由銀行或按揭保險公司安排，而是直接找你的保險公司。早年大部分保險都是買人壽的，即是萬一受保人過世，家人便獲得一筆賠償。但如果不是身故賠償，每份有儲蓄成分的人壽保單，仍然是有價值的。這個價值分成兩部分，一部分是現金價值，會隨著已付保費增加，以及保單生效的年期而不斷增長。

一般來説，到了100歲時，現金價值就會等如保單的投保額。這部分價值雖然屬於保單持有人，但除非退保，否則，傳統上是不能提取的。

另一部分是周年紅利，當保險公司派了出來之後，保單持有人是可以隨時提取的。如果不提取，則留在保單內滾存生息。

很多投保人早年買下的人壽保險，隨著子女長大成人，人壽保障已經變得不太重要，但當中的現金價值又不能提取（除非退保，但退保之後便不能享受保單的分紅）。因此，近年保險公司已經容許投保人選擇提取部分保額或稱局部退保（Partial Surrender），變相預支了當中的現金價值。

如果行使提取部分保額或局部退保的安排，即是投保人願意逐步減低投保額，藉此提取了當中的現金價值，直到投保額跌至最低投保額要求時，才不可以再提取當中的現金價值。到時，投保人只可以選擇退保，或停止再支取當中的現金價值。

我相信，大家可能有一些人壽保單已經供滿，如果發覺自己沒有人壽保障的需要，除了選擇退保一筆過支取有關的現金價值和紅利外，其實也可選擇按年減少保額的方法，支取當中的現金價值作為自己額外的退休金。用按揭證券公司的說法，這做法是釋放人壽保單的價值，由自己享用，而不是留給家人。

基層靠政府福利安心退休？

2021年年中，時任勞福局長羅致光提出，當市民在65歲提取強積金累算權益時，會考慮「強制」他們轉去買公共年金。此語一出，引起全城嘩然，局長馬上「轉軚」，指香港的情況根本不可能「強制」。明顯地，局長是想試水溫，一試就知道不可行，政府最終用「利誘」、「鼓勵」市民將強積金轉去買年金。

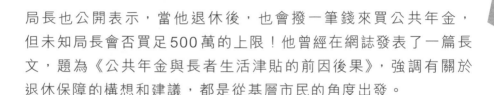

局長也公開表示，當他退休後，也會撥一筆錢來買公共年金，但未知局長會否買足500萬的上限！他曾經在網誌發表了一篇長文，題為《公共年金與長者生活津貼的前因後果》，強調有關於退休保障的構想和建議，都是從基層市民的角度出發。

我看過這篇文章後，令我有點感慨。那就是，如果你窮，就要窮得徹底，因為這樣反而有政府幫；一些有幾十萬身家的人士，退休生活可能還不及最窮的人！

何以見得？原來，現時單身長者申領綜援的資產上限是5萬元，平均每月可以收到7,679元。假設一位65歲的退休人士，個人資產不足5萬元，在政府協助下，每月可以有7,000多元收入，如果他已經解決了住的問題，以現時的生活水平來說，勉強也可以應付吧！

中產退休族的窘境

如果你同樣65歲，這時也想退休，卻有30萬身家，那便尷尬了，因為你的資產已經超標，超過單身長者申領綜援的資產上限，即使你將這筆錢用來買公共年金，政府仍會按年金的退保價值來計算你的資產，因此，你不會領到綜援。

退而求其次，你只能申請長者生活津貼。在2021年10月的《施政報告》中，政府提出，將普通和高額長者生活津貼合併，金額

以「高額長者生活津貼」的水平為依歸；資產則以「普通長者生活津貼」的較寬鬆水平為依歸。

現時「高額」長生津是每月 3,815 元，而「普通」長生津，單身人士的收入和資產上限，分別為每月 10,330 元和 36.5 萬元。特別的是，如果申領長生津的話，用來買公共年金的錢便不計算為資產，即使早期仍有較高的現金價值。

即是說，上面提到有 30 萬元身家的 65 歲退休人士，除了每月支取 1,710 元年金外（按照年金公司提供的 30 萬公共年金計算），只可再領到 3,815 元的長生津，合共 5,525 元，比綜援全數的 7,679 元少兩千多元。同樣假設沒有住屋問題，5,000 多元的收入，可能有點捉襟見肘！

不過，局長解釋說，這個人到了 81 歲時，由於已領取了逾 33.4 萬元年金，年金保單的退保價值已經等於零，若他沒有太多其他積蓄，便可以申領綜援，而又繼續可以支取年金，兩筆收入加起來可達 9,000 多元（以現時金額計），但這位長者已經 81 歲了，那時收入才增多一點點，時間上是否有點錯配呢！

100 萬可以點退休？

如果 65 歲時，手上只有 100 萬元資產，又應該如何安排，是否足夠退休呢？

簡單計算一下，同樣假設已解決住的問題，醫療也靠政府，也有2元乘車優惠，今時今日在香港生活，每月的生活費總要有5,000元吧！因為一日三餐用100元，一個月已經要3,000元了，其餘2,000元用於衣著和其餘日用消費品也相對保守。

不要忘記，今時今日銀行存款幾乎沒有利息，卻有通脹！假設存款沒有回報，也沒有通脹的話，這100萬元只夠用16年左右（**5,000元 x 12個月 = 6萬元；100萬元/6萬元 = 16.6年**），到了那時，你是81歲，可能還有一段日子捱呢！

當然，現在有政府年金，最好的辦法就是把其中70萬元用來買政府年金，還有30萬元傍身；而70萬的年金，每月可支取4,060元，加上上述提到的長生津3,815元，合共可收取7,875元，也算可以有餘裕的生活吧。但其實，你每月收入跟領綜援差不多，唯一是你手上還有30萬元傍身。

聽了以上的分析，有人或許會認為，倒不如在65歲前花掉所有錢，然後向政府申領綜援退休豈不是更好，至少年輕時也享受過嘛！但如果能夠誰都不靠，完全靠自己，我認為，這種退休生活才有尊嚴，因此，我的看法是，在你有能力工作的日子就盡量賺錢，量入為出，為未來的退休生活作部署，這才是有意義的人生呢！

上半場看學歷　下半場看病歷

本章起首提到，人生每個階段都已經加了時，那麼，步向退休的人生下半場，亦應按比例「加時」。

你可能很迷惘，人生的上下半場，又應該怎樣劃界呢？過去，很多人以數字來劃分，即是40歲左右就算是中年。但隨著人生各階段都加了時，這個劃分又好像不太準確！另外，以男人和女人的預期壽命去劃分，男人可能是41歲，而女人則44歲才算中年。

早前我在朋友的WhatsApp群組中收到一段訊息，內容正正關於如何以實際情況去劃分人生的上下半場，我相信，只要你已經「一把年紀」，必定會發出會心的微笑，在此跟大家分享一下。

「人生如賽場，上半場按學歷，以權力、職位、業績、薪金比『上升』；下半場按病歷，以血壓、血糖、尿酸、膽固醇比『下降』。上半場順勢而為，聽命；下半場事在人為，認命！願人人上下兼顧，兩場都要贏！」

一言以蔽之，那就是上半場看「學歷」，下半場看「病歷」了！前者愈多愈好，愈高愈好；而後者則愈少愈好，愈低愈好！不過，大家有否想到，弔詭的是，如果我們在上半場時不顧健康地向前衝，或許最終贏了一大串「學歷」，但很大可能輸掉下半場的比賽呀（病歷）！

反過來說，如果我們在上半場留點力，樣樣得過且過，或許可以贏到下半場的「病歷」，但上半場的比賽便可能要坐冷板櫈。那麼，我們如何在「學歷」和「病歷」之間求取一個平衡呢？大家真的要各自修行了！該段 WhatsApp 還有下半部分，也是發人深省的：

「沒病也要體檢；不渴也要喝水；再煩也要想通；有理也要讓人；有權也要低調；不疲也要休息；不富也要知足；再忙也要鍛煉。」

「人的一生，好比乘港鐵線：途經中環，羨慕繁華；途經上環，幻想權力；途經金鐘，夢想發財；經過九龍塘，遙想華麗家族；經過沙田馬場，依然雄心勃勃；這時，有聲音飄然入耳：乘客你好，粉嶺（和合石）快到了！頓時醒悟：人生苦短，總會到站。如果你能夠平平安安的度過每　天，就是　種福氣，就該珍惜！」

願大家都能平平安安地踢完這場，可能需要加時的人生球賽！

第二章

安居篇

有樓無樓大不同

2.1
自住樓逆按揭
諗得過

如果這一刻你距離退休之年不遠，但手上沒有自置物業，仍然租樓住，那你真的要仔細盤算了。當然，若閣下享受政府福利，住在公屋又另當別論，因為在大多數情況下，你可以以低廉的價錢住下去，不用擔心會被逼遷！

不過，我認識的一些同齡朋友，確實有小部分是「無殼蝸牛」，但這到底是否天意弄人，也實在說不清。

高樓價的「受害者」

過去20年，香港樓價愈升愈有，有部分人決定沽出自住的物業，暫時租樓住，等樓價回落了才重新上車，這樣就可以細樓換大

樓，改善生活也擴大資產。雖然香港樓價於2022年開始略為下調，但仍是「高不可攀」，超出大部分年輕人負擔範圍之內（要靠父幹才可以上車）。未上車或未再上車的人士，仍「望樓輕嘆」。

我其中一位朋友正是樓價高企的「受害者」，大約10年前，他沽出手上的中小型住宅，大約套現了300多萬（當中已賺了約100萬），然後跟妻子租樓住。現在樓價比當時再升了大約六成。而5年的租金也花去了大約100萬，一來一回，大約損失接近300萬。

朋友說，如果當日一直持有本來的物業，現在已可以退休了！他打算到台灣退休，拿著幾百萬現金，以及套現小量股票和基金，加上幾年後提取的強積金（如果是移民，60歲便可以提取），他說，勉強夠他們兩夫婦在台灣退休。

「這又不是唯一的選擇。如果你現在重新入市，不做按揭，有長遠安居之所之餘，日後也可以透過安老按揭釋放物業的價值，這也是可行的辦法呀！」朋友在我一言驚醒下，可能會重新考慮他的退休安排呢！

所謂安老按揭計劃，即是物業逆按揭，其實是將你現時已經供滿的自住物業抵押給銀行，銀行便會定期向你派發退休金。最重要的是，你可以居住在該單位，直至百年歸老。

我認為，物業逆按揭是值得大家考慮的，一來，物業逆按揭的年齡要求最低，只要55歲便可（但要留意，如果夫婦聯名的話，則

年輕的一位要55歲才可申請）；二來，你將物業逆按之後，還可以繼續在自己的物業居住，**即是除了換取到一份長糧之外，還可以保留自己的居住權。**另一個重點是，幾乎所有費用，包括按揭保險費和銀行利息，都不用償還，可以累積在總貸款額內。

可以保留居住權

我在上一章節中指出，香港按揭證券公司（下稱按證公司）提供3種退休產品，包括物業逆按揭（又稱安老按揭）、即期年金（又稱政府年金），以及幾年前新加的保單逆按揭。

正如我多次強調，物業逆按是最值得大家考慮的一種退休理財工具，因為它在提供現金流的同時，也繼續提供居住價值。另外，由於樓價高企，等閒一個物業，估值隨時500至600萬，市區中大型單位更動輒過千萬，所以，物業逆按能夠釋放的價值最高。

為了讓大家更清晰這3項退休產品的各項重點，我做了一個表給大家參考。

圖表 2.1　按證公司三大退休產品大比併

	物業逆按揭	保單逆按揭	政府年金
入場歲數	55歲	60歲	60歲
金額上限	1,500萬（以物業估值計算）	1,500萬（可以超過一份保單）	500萬（可以分開做）
年金支取期	10年、15年、20年和終身	10年、15年、20年和終身	終身
利息	浮息P-2.5%和定息4%	浮息P-2.5%和定息4%	不是貸款，不用付息
費用	按揭保費 ●（基本）物業價值1.96% ●（按月支付）結欠額1.25%	按揭保費 ●（基本）保單價值1% ●（按月支付）結欠額1%	實際上不用支付，但在可支取年金中已反映

	物業逆按揭	保單逆按揭	政府年金
一筆過貸款	逆按貸款年金現值的90%，每宗貸款不少於10萬元或一筆過貸款上限的15%（以較高為準）	逆按貸款年金現值的90%，每宗貸款不少於10萬元或一筆過貸款上限的15%（以較高為準）	不適用
特別款項提取	承上，清還原有按揭、為資助房屋補地價、支付家居維修、醫療開支和購買骨灰龕及墓地，以及殯葬費用	承上，清繳保單貸款或保費、支付家居維修和醫療開支	保證期內的醫療或牙科支出
提前還款/退保	可以，只需償還所有欠款連利息以及費用	可以，只需償還所有欠款連利息以及費用	**保證期內退保，可取回當時的保證現金價值**，保證期後沒有退保價值

	物業逆按揭	保單逆按揭	政府年金
身故安排	**家人有優先權贖回物業**，若是，情況同上。若不，貸款銀行會沽出物業，若有餘額會給回受益人；若不夠找數，會向按證公司「追討」。	貸款銀行會向保險公司申請索賠。同樣地，若**有餘額會給回受益人**；若不夠找數，會向按證公司「追討」	如果年金支取人的支取金額已超逾保證金額（投保額的105%），則保單會終止。若仍未超過，則**受益人可以繼續支取至本金的105%**，又或一筆過取回當時的保證現金價值或已繳保費的100%（扣除已支取年金），以較高者為準

如果從年金收益的角度，保單逆按的效益最低，即是同一個金額的保單和物業價值，以及同一金額的年金，保單逆按能夠支取的金額最低，政府年金最高。不過，政府年金要到60歲才可以買，跟保單逆按一樣。而且，概念上，政府年金是自己拿一筆現金出來，會減少你的流動資產。物業和保單逆按不但不會減少你的流動資產，而且是釋放你不動產的價值，額外提供現金流。所以，政府年金提供最多現金流也是合理的。

逆按樓齡最高50年

安排物業逆按有幾點要注意，你的物業樓齡不可以太高，因為最高可接受的樓齡是50年。而且，如果物業太舊，銀行有機會要求你先翻新。

另外，萬一你的物業在逆按期間被收購，要拆卸重建，那你就要即時償還所有欠款（因為抵押品已不存在，又或不再屬於你）。當然，你可以獲得賠償，而且賠償額可能比逆按時的估值更高，但當中牽涉複雜程序，且耗時很久，肯定會影響你的退休安排。

還要提一下，物業逆按有另一靈活的地方，如果物業是聯名的，即所謂長命契，你可以選擇夫婦二人為年金的支取者，即是支取年金的最後期限以二人都過世為止。但要留意，入場門檻也會以較年輕那一位為依據。換句話說，年輕一方要年滿55歲才可以逆按。

「套現應急」不合邏輯

物業逆按在過去不太受歡迎的一個原因，是很多人都擔心欠缺靈活性，認為如果將物業逆按了，將來一旦需要用錢（多數是要治病），便未能即時賣樓套現。但這個想法其實不大正確，因為那代表了你手上沒有太多流動現金作應急之用，這樣的話，你有沒有逆按都沒有分別。而且，物業是實物資產，要變賣也不是一時三刻的事。再者，當你愈想急賣，就愈難賣得好價錢。

另外，值得一提做保單逆按的考慮，由於它是效益最低的工具，你決定逆按之前，必須知道當時該人壽保單的現金價值有多少，你可以要求銀行提供20年支取和終身支取的金額去比較。

假如即時退保，可以獲得的現金價值跟分開20年支取，甚至終身支取（假設到100歲）的年金，基本上很接近，甚至高於的話，你應該考慮退保，而不是逆按。**如果你已經65歲，還可以考慮將退保後取回的錢，轉買政府年金，效益會更高。**

69

回説政府年金,如果你做物業與保單逆按,已經有足夠的退休收入,你也不必再做年金,因為做了政府年金的最大問題,是馬上少了一筆流動資產,當有急用的時候,就真的欠缺靈活性了。而關於政府年金或各式私人年金的種種考慮,我會在第三章詳談。

出租物業也可逆按

▶ 安老按揭簡介

申請人: 55 歲以上

抵押物業: 樓齡必須在 50 年以下

物業價值(用以計算退休金金額): 以 2,500 萬元為上限;物業價值 800 萬的部分計足,超出 800 萬部分計一半。假設樓價 2000 萬,便可申請 1400 萬(800 萬 + 1200 萬 X 50%)。借款人可以選擇 10 年、15 年、20 年,或終身支取退休金。

按揭保費:

- 基本按揭保費:計算方法是物業價值的 0.28%,分 7 期攤還,由第 4 至第 10 年支付。
- 每月按揭保費:則根據貸款額的總結欠計算,年利率為 1.25%。

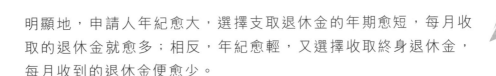

明顯地，申請人年紀愈大，選擇支取退休金的年期愈短，每月收取的退休金就愈多；相反，年紀愈輕，又選擇收取終身退休金，每月收到的退休金便愈少。

另外，如果物業是聯名持有，也可以兩位同時申請（最多可以3位同時申請，但必須以長命契方式持有），但兩位申請所得的退休金會略少於單人申請（3人申請又少於2人申請），而計算年歲時，會以最年輕的一位為準。

按證公司近年容許申請人以多一個物業作抵押（只要該物業是由其子女居住），以增加貸款人所得的退休金。另外，即使是出租物業也可接納逆按，只要申請人已持有該物業一年以上，又符合以下兩種情況之一：申請人已退休；申請人因年長或患病需要遷出自住物業，而入住安老院。

以現時的息率水平計，假設申請人現時60歲，選擇支取10年退休金，那麼，每100萬的樓價，每月便可收到3,700元退休金；如果終身支取，則每月可支取2,000元。如果物業的市值是500萬，就將上述數字直接乘5便可以。

如果申請人已經70歲，並選擇支取10年退休金，那麼，每100萬的樓價，每月便可支取5,100元；如果終身支取，每月也可支取3,100元！

保費利息可「後數」

而費用方面，主要有兩個，一個是按揭保費，另一個則是貸款利息。以300萬的物業值計，基本按揭保費全期是5.88萬元。至於每月按揭保費，如果退休金支取期是20年的話，利息支出就是20.47萬元。

銀行貸款利息方面，根據現時按證公司的規定，會收取最優惠貸款利率減2.5%，即2.875%。如果是20年的支取期，累積的貸款利息大約是50萬元。換句話說，總支出會是70萬元左右。但要注意的是，銀行貸款利息是浮動的，如果加息，貸款利息會相應增加。

如果選擇終身支取，而申請人又比較長命的話，整體費用會增加不少。不過，正如前文所說，這些費用全都可以累積在總貸款額之中，到最後才「找數」。

等於物業版年金

我認為，這些收費算是合理，你可以這樣想，安老按揭等於物業版的年金，分別只是，安老按揭不是一次過賣斷自己層樓，而是以抵押方式按給銀行。但抵押給銀行要付利息，按證公司為了擔保你的物業價值，足以償還你借的錢連利息，所以又要收取按揭

保險費，以及其他行政費。如果自己沒有打算承傳物業，那麼，做妥安老按揭，當自己「埋單」的時候，就真的拍拍屁股就走，了無牽掛。

但如果自己有子女，或者其他後輩，又想把這個物業留給他們的話，這筆安老按揭費用就要由他們償還，才可取回業權。具體安排是，當安老按揭終止，或借款人百年歸老後，遺產繼承人有優先權贖回物業，一筆過償還貸款。如果不還，銀行便會出售該物業，以清還所有貸款。如果款項不足以抵償先人欠款，便由按證公司承擔，若有餘款，則會歸還給借款人或承繼人。

其實，這安排也不錯，因為你不是完全放棄了自己的物業，後人可以其能力取回物業的擁有權。

現實上，也不是很多銀行願意承接安老按揭的生意。到目前為止，全港有12間銀行有承接安老按揭的生意，當中包括中國銀行、建行（亞洲）、集友銀行、招商永隆銀行、香港按揭管理有限公司、華僑永亨、上海商業銀行、渣打、東亞、富邦、交通銀行及南洋商業銀行，其中以中國銀行算是比較積極。（最新安排可瀏覽按揭證券公司的網頁：www.hkmc.com.hk/chi/）

2.2
退休無樓怎麼辦？

上文提過，退休之際沒有一個已供滿的物業，其實是不太理想的。因為既沒有收入又要供樓，有種「食老本」的感覺。如果完全沒有物業，只靠租樓，更加不是恰當的安排，因為除了「食老本」之外，隨著年紀大了，可能租不到樓，也難以承受經常「搬家」的煩惱。

我有些朋友以自住樓為投資工具，趁樓價高企，賣了自住的物業，希望撈底再上車，或將筆錢慢慢「掹」，又或另作打算，那你不但可能再上不到車，更要冒租樓的風險，這個風險包括加租和租不到樓。你不要以為，負擔得起租金就一定租得到樓。

老人家可能租不到樓

早前我跟一位朋友碰面，他告訴我一件真人真事。他有一對長者夫婦的朋友，已經過了80歲，早年賣了自己的物業，套現協助子女置業，結果子女卻不照顧他們，他們現時手上約有三四百萬現金，但今時今日，這筆錢又怎夠置業呢？

想租樓住，原來大部分業主都嫌他們老，不肯租地方給他們。由於他們有些資產，又不算「窮」，所以不能靠政府，享用公屋及長者津貼，真是兩頭唔到岸！他們可能選擇入住老人院，但優質老人院也不便宜，又好又便宜的，又要排上十年八載。

住房協「長者屋」愈長命愈著數

另一位朋友 Patsy 也面對類似情況。她是大學講師，也是學校宿舍的舍監，過去十多年都住在校方宿舍。早年也買過樓，但後來沽出了。她眼見樓價不斷上升，已比當日沽出手上物業時高了一大截，那就更不想、也不敢再入市。現在距離退休還有兩年，開始籌劃退休之後的住所。

當然，她和丈夫手上是有一筆退休儲備，但說到底，他們只是中產，這筆儲備也只是有數得計。現在市區一個面積較大的兩房單位，動輒也要近千萬，差不多耗盡兩夫婦的退休儲備。還有一點

是，他們住慣逾千呎的地方，還有基本的維修保養服務，所以，如果退休之後要住幾百呎的物業，又沒有基本服務，令他們想起已覺煩惱。

我告訴Patsy，以他們夫婦的情況，可考慮重新上車，但就要將就些，只能買個幾百呎的物業，full pay不做按揭，之後將此物業做安老按揭，但如果擔心物業不適合作養老之用，或想多些護理支援，亦可考慮申請由房協發展和管理的「長者屋」，但這個也要盡早安排。

「長者屋？我有印象，幾年前北角有個叫『富貴長者屋』的項目。」

「嗯，正是。這個叫雋悅的長者房屋項目，因為『租住權費』較其他幾個項目要貴五成左右，所以有人稱之為『長者富貴屋』，但其實也適合你們的。」

「是嗎？可否詳細講解一下？」

「這個由房協統籌的住屋計劃，全稱『長者安居樂』，早在1999年已推出，首兩個項目分別於2003和2004年落成，為中產長者提供集居住、康樂設施和醫療護理於一身的居所。」

「啊，已經這麼多年了？我一直沒留意，除了幾年前的雋悦，我有點印象外，真的未聽過呢。」

「這兩個項目位於將軍澳的樂頤居和佐敦谷的彩頤居，但總單位也不過576個，不算多。即使近期北角雋悦的地盤面積較大，也不過提供588個單位。隨著退休潮，相信對『長者屋』的需求會增加。」

「嗯，到底這些『長者屋』如何運作？」

「簡單來説，妳要先付一筆『租住權費』，就可以終身入住長者屋，不再擔憂被加租或逼遷，但妳仍然要付管理費。另外，使用屋苑部分設備也要付費。不過，如果入住不足10年便遷出或離世，就可按比例收回部分租住權費。」

長者屋退租有錢退

將軍澳樂頤居

佐敦谷彩頤居

北角雋悦一房單位

資料來源：房協網站

「聽妳這樣說，這種租住權的安排，有點像年金喎，總之，愈長命愈著數？」

「對呀，這種長者房屋的安排，跟政府年金相似，一筆過支付一筆錢給保險公司（現在是房協），然後保險公司每月支付年金作為退休生活費，直到你身故（現在是獲得租住權，或者等於房協替妳每月交租，直至終老），總之，愈長命愈著數。」

「但短命豈不是很蝕底？」

「計劃有 10 年保證期，如果是年金的話，投保人保證可以獲得支付本金的 105% 金額，即是萬一受保人短命，幾年後便過身，年金公司會繼續向投保的受益人發放年金，直到支付了本金的 105% 為止。房協也有這種安排，即是租戶如果太短命，也可以獲退回部分租住權費。」

79

「嗯，可以退多少？」Patsy 緊張地問。

「如果是初期那兩個長者屋計劃，樂頤居和彩頤居，租住權費的退還百分比由一成至七成不等（見圖表2.2），而雋悅則有她自己的退還百分比，由半成至八成不等，而在首9年，差不多都有一個不同的百分比（見圖表2.3）。」

「即是不會一『扑鎚』就無法番轉頭，對嗎？」Patsy問。

「對，任何時間退出也有錢退。」我笑著説。

富貴長者屋　無政府資助

「嗯，但我想問一下，雋悅似乎有點特別，是甚麼原因？」

「是的，因為之前兩個長者屋都有資助性質，所以，租住權費不太貴（見圖表2.4），但位於北角丹拿道的雋悅，是首個沒有資助的長者房屋計劃，加上位處市區，有些高層單位更有海景，所以租住權費不菲。以60歲計，最貴的幾個近頂層1,200多平方呎的相連單位，費用由800多萬至約2,000萬元不等，聽起來也令人咋舌！最便宜的一人開放式單位，租住權費也接近200萬元（以80歲計），因此，退還租住權費也有特別安排。」

「我曾經想過，退休後沒有物業，大不了便租樓住，但聽了你所說，年紀大了原來有可能租不到樓，那我就似乎沒選擇，要不就是大嘥嘥用近千萬來買樓，要不就是考慮這些『長者屋』，但雋悅的租住權費也要近千萬呢！」

「是的，由於租住長者屋的租戶沒有物業權，所以，如果要比較是否『抵住』，應該以租樓去比較。另外，我想提一句，妳也不可能馬上輪到這些長者屋的。」

「噢，即是想租住長者屋也要入表排隊？」

「對呀！」

「那麼要排多久？有沒有新的長者屋？」

圖表2.2「長者屋」樂頤居和彩頤居租住權退還百分比

年期	1	5	10	14 或以上
退還百分比（約數）	70%	53%	31%	10%

82

圖表 2.3 「長者屋」雋悅租住權費退還百分比 (年期/退還百分比)

1	2	3*	4*	5*
80.00%	80.00%	70.63%	61.25%	51.88%

6*	7*	8*	9*	10*
42.50%	33.13%	23.75%	14.38%	5.00%

*首兩年劃一退還八成，踏入第3年後，每滿一個月，退款都會稍為減少，為簡單起見，列出的百分比為該年度最後一個月的退款百分比，例如第5年，上表顯示的是第60個月的退款百分比，10年後的退款百分比，一律為5%

圖表 2.4 「長者屋」樂頤居和彩頤居租住權費

年齡	開放式單位	一房單位
60-64 歲	970,800-1,233,800	1,468,800-1,901,800
65-69 歲	873,800-1,111,800	1,318,800-1,709,800
70-74 歲	821,800-1,049,800	1,248,800-1,618,800
75 歲或以上	775,800-985,800	1,127,800-1,523,800

等長者屋堪比等公屋

那如果想租住長者屋，到底要排隊多久？

「這個真的說不準，因為現在的退休人士都很長命，大部分入住這類長者屋的都會在那裡終老，因此，這要看每年有多少人離世，才可以安排輪候者入住。根據房協幾年前的數字，大約有500多人輪候有資助性的長者屋，輪候雋悅的更多達1,200人，估計都要幾年時間。」

「那豈不是跟輪候公屋一樣？」Patsy嘆氣地說。

「差不多吧！不過，還有一個全新的資助性長者屋正在興建，那項目位於紅磡利工街，樓高34層，提供300個單位左右，還首次提供兩房單位，面積約400多平方呎，估計2022年底落成入住。」

「嗯，幸好我不是馬上退休，換句話說，我現在便要部署，馬上入紙申請？」

「是的，現在可能遲了一點，我擔心你退休時還未等到呢！」

「那麼，我唯有先租屋囉，以我們的年紀，應該還租到樓吧！」

「當然！我再提一下，妳在租樓的選項中，也可以留意近年私人機構專為長者而設的一些服務式住宅。對於妳和老公住慣有人服務的宿舍，退休後選擇這類專為『初老』者入住的私營服務式住宅，也是不錯的選擇呢！」

「不過，租金肯定會比租普通私人住宅貴吧！」

「這個當然，大約比租普通私人住宅貴五成吧，但可作為過渡安排去考慮。」

2.3
旅居移民
宜居養老地

近幾年要防疫，我和朋友拜年，都要移師網上，而與一些海外親友拜年時，他們都會關心地問一句：「退休後移民嗎？」過去幾十年，香港經歷了多次移民潮，包括：二次大戰後、六七暴動後、中英談判期間、六四事件後，還有九七回歸前，主要原因都是擔心政治動盪。

而當時移民的港人，大多都未到退休年齡，為的是想下一代得到更好的學習和生活環境，他們犧牲了很多，才成就家人宜居的樂土。

疫情打亂移民置業

近年掀起的移民潮中，我身邊的客戶和朋友，有不少都已經或正在籌劃移民，有些未到退休年齡，也多了一些已經夠鐘退休，或接近搵夠的港人，選擇不以香港作為長居地，改以其他地方終老！

為下一代著想的移民家庭，最熱門的國家仍然是加拿大、澳洲和新西蘭等，但由於英國放寬了 BNO 的簽證限制，變相簡化了移民英國的成本，令到很多子女在學的家庭，都以英國為首選的移民國家。

不過，對於計劃退休後移民的朋友，澳紐加似乎都不是他們那杯茶，反而傾向選擇東南亞國家和台灣。

我有幾位朋友兩三年前已部署，在台灣和泰國置業，退休前先將物業出租，日後退休時才作最後決定。另外，也有朋友選擇在希臘置業，因為看好當地的旅遊業，加上移民希臘的成本也較低。他也是先將物業用作民宿出租，同樣等到退休時，才作決定是否移民當地。

殊不知，2020年的新冠疫情令到他們的計劃觸礁。首先，我在泰國清邁置業的朋友，本來業主提供租金保證計劃，但幾個月前已經無法保證，即是有好幾個月沒有租收。這也不難想像吧，因為泰國的旅遊業幾乎完全停頓，人家又怎能保證你的租金收入呢！

同一種情況也發生在我那位買了希臘物業的朋友身上。他更慘，剛完成交易後，歐美疫情就爆發，哪有人去希臘度假？因此，他的物業一直丟空，樓價也跌了不少，他也不知怎算好！

我那位在清邁置業的朋友，也同時在台中買了物業。她告訴我，在台中置業好一些，雖然成本高於泰國，但勝在租務市場仍然暢旺。據其經驗，泰國物業的入場門檻較低，租金回報較高，但可靠性較低。相反，台中物業雖然一度有租客退租，但短時間內再成功出租，且回報尚可，當然，樓價難望會大升。

投資台中物業的盤算

我朋友的台中物業位處市中心邊緣（當地人稱市中心為七期），算是旺中帶靜，該物業樓齡兩年左右，實用面積大約880平方英呎，但價錢只是370萬港元左右。實用面積呎價不過4,200港元，大概是香港樓價的四分一！

不過，台中樓價低（跟香港比較而已），租值也低。根據當地的地產代理告知，我朋友的物業，每月大約可以租到3萬台幣，豪

裝的話最高可以租到 3.5 萬台幣，但業主要包管理費，管理費大約 2,800 元台幣左右，折合約 700 港元，也是香港的四分一吧！

不過，整體計起來，租金回報率只有 2.5%，比香港還要低。幸好，我朋友的按揭利息也低，只有大約 1.7%，以這個租金水平計，也夠支付每月的按揭供款。香港人在台灣買樓，大約只可借六成，換句話說，朋友拿了大約 150 萬元出來付首期，之後便有租客替她供樓。

我另一位住在台中的台灣朋友告訴我，台中的樓價在過去 15 年確實升了不少，接近升了一倍。但自從民進黨的蔡英文上台，台中的樓價就不再漲了。

不過，台中作為台灣第二大城市（人口人約 280 萬），近年多了移民，當地也有很多新供應。當地朋友帶我們繞了一圈，果然很多地方都在建樓，甚至在高鐵站旁也有一個大型新盤（有 7 幢，台中較少有大型樓盤，一般只是一或兩幢），所以，未來將會有很多供應。

我即時的想法是，如果大家不是即時退休，可能未必需要現在買樓，可以等到自己真的退休時才去買，到時的選擇會更多，價錢可能更便宜。而就算現在已經退休，又喜歡台中，也可以考慮先租樓，因為租金實在便宜，住落再考慮買樓也未遲！

政策配合　大灣區退休非難事

兩岸三地之中，除了台灣，也有人想回內地退休，而大灣區更是近期熱門之選。其實，十年八年前，已有不少人認為在香港退休生活指數太高，如果用同一筆錢，回內地退休（主要是廣東省，當時未有大灣區的規劃），其實也可以活得很不錯。

早前一位舊朋友告訴我，他的工作有危機，隨時會被裁員，可能被迫提早退休。他的想法是，沽了手上的香港物業，然後在大灣區買樓，將來很大可能在那裡退休。無他，內地始終是中國人的地方，生活水平又比香港便宜（除非是幾個大城市），如果選擇在廣東省退休，更可享交通便利，客觀條件上絕對有優勢。

如果大家真的以此為選項，以下幾點值得大家留意。

不同城市「限購令」常變

首先，隨著中港融合，內地不斷提高港人在內地的福利，最突破的一項措施，莫過於港人已可以在內地申請居住證。有了這個居住證，我們在內地於社會保障、醫療、教育、就業和營商等幾方面，就可以跟內地人看齊。當然，如果大家是回內地退休，以上幾項福利未必是大家最需要的，但有了內地居住證，訂車、船和機票也會方便一些，這點十分重要。

此外，談到退休，最重要當然是有個棲身的地方。由於內地各城市的「限購令」有寬有緊，港人如果沒有內地戶籍，又沒有交過稅，正常情況下是不容易置業的。不過，2019年的粵港澳大灣區建設領導小組，通過了一些惠港新措施，其中一項就是豁免港人在大灣區內9個城市的置業限制。不過，內地限購令政策經常有變，大家在大灣區置業，最好先弄清楚最新政策。

與港醫療漸接軌

有了安身之所後，如果在內地退休最重要考慮是醫療問題。我想指出一點，如果大家在港買了醫療保險，在內地也可以受保。但要留意的是，大家可能要入住指定醫院（普遍是所謂的三甲醫院）才受保。當然，如果不是緊急住院，我相信，大部分港人會傾向回港就醫。剛才提到的領導小組還通過了一項決議，就是容許在

大灣區內的指定港資醫療機構，使用已在香港註冊的藥物和常用的醫療儀器。

由此可見，未來在大灣區內居住的港人，可以大幅節省平時往來香港覆診和取藥的時間。此政策既可讓港人全方位融入大灣區生活，又能鼓勵香港醫療界投入大灣區，長遠更有利香港醫藥業科研和交流。

補充一點，港府為鼓勵長者返回中國內地養老，幾年前已經實施「廣東計劃」和「福建計劃」，讓65歲或以上，選擇移居廣東或福建並符合資格的香港長者，毋須每年回港，也可獲發高齡津貼（即俗稱的「生果金」）和長者生活津貼。在如此政策推動下，未來可能會有更多港人選擇在大灣區退休呢！

退休移民先考慮「三老」

雖然移民是很個人的問題，但在考慮是否移民時，尤其是退休後的移民問題，有些因素是共通的。首先，我集中說的是退休移民，先指出了兩點，一是大家的年紀應該不輕，二是大家應該已累積到一筆退休金。

先說年紀問題。正常情況下，說得上退休後移民，沒有60也應該50多歲吧，這個年紀的人到外地重新適應新生活，我認為一點也不容易。

上文提過「退休三老」，即老友、老伴和老本！我相信，對於我這類土生土長的香港仔來說，任何一個外國地方，都不可能找到像香港這麼多的「老友」！我們一把年紀，要去陌生國度適應新的文化、氣候和社交，而沒有老友的退休生活，應該十分枯燥乏味。

如果要我選一個退休後居住的地方，我會在馬來西亞（檳城）、台灣（台中）和泰國（清邁）之間考慮，因為這些地方我都去過，無論飲食和文化都較接近。不過，但不要忘記，旅遊和定居根本是兩回事，如果從未試過長時間逗留或定居，我們能否適應？會否仍有旅遊時那種窩心的感覺？

移民歐美澳 老本要夠厚

至於老本方面，如果你像我一樣，以上述幾個生活便宜的國家為移民目的地，在香港預備的「老本」，應該夠慢慢「搣」的。但如果你考慮澳紐，甚至歐美國家，這筆「老本」就要夠厚，否則生活有可能捉襟見肘了。

最後的老伴，應該容易一點吧，因為活到這個年紀，跟你相知相伴幾十年的配偶，仍然跟你對移民有不同看法，我就真的幫不上忙了。

經過上述考慮後，我和太太仍想以香港作為退休後的長居地。不

過，可能有較多時候留在外地旅居，目的地就是檳城、台中和清邁（或再加上日本的北海道），尤其是在我們初老的「黃金十年」時。當年紀更大，去到80歲，落葉歸根更重要，而香港正是我的根，在香港安度晚年的機會應該很高。

了解當地醫療費用

如果你真的下定決心退休後要移民，即是你已累積了一筆退休金，你先要計算的，當然是移民地方的生活水平跟香港有甚麼差異。如果是更便宜的話，那當然沒有問題；但萬一是比香港高的話，你便要重新計算一次，到底你的退休儲備是否夠「撼」了！

如果你選擇東南亞或是台灣的話，整體生活水平應該比香港低（東南亞國家之中，只有新加坡的生活水平跟香港差不多），如果你的儲備已經夠香港退休的話，去到這幾個地方就綽綽有餘了；即使你本來是「搲搲緊」的，在當地也可能足夠使用了。但是否真的足夠，其中一個重要因

素是當地的醫療費用。如果是移民東南亞國家，以及台灣，問題便不大。如果移民歐美等國家，這要重新估算了。

還有一點，移民時也要安排保險事宜。不過，你在香港買的大部分個人保險，包括人壽、意外和危疾保險，即使移民也是不受影響的，因為這些都是全球保障的。

另外，移民歐美國家要注意稅務問題，因為只要你成為他們的「稅務居民」，你在全球的收入，都可能要交稅呢！當然，你是退休之後才移民，可能再沒有收入，只有資產，但這些可賺取收入的資產，也可能要交入息稅或增值稅，到你百年歸老之後，還可能要交遺產稅，這一切都是要考量的。

但住院保險（以實報實銷形式索償的那種保險）則要留意，因為香港和其他地區或國家的醫療使費可能不同。香港保險公司設計的住院醫療保險，尤其是傳統分大房、二等房和普通房那種，都是根據香港的醫療開支而設計，每個項目都有上限，所以，你的住院保是否足夠你在移民國家索償，移民前一定要問清楚。一般是醫療開支有上限，但沒有地域限制。

至於近年冒起一些高端住院醫療保險，就算你移居他方，也提供足夠保障。但要留意，即使你買的是全球保障版本，如果你移居美加或者西歐國家，賠償時可能都會限制，視乎你是否已經定居在當地。

一般來説，如果你持續在當地居住 365 日，已算是定居於當地，你的賠償金額可能要打折的。不過，如果你每年都離開當地一次，例如回港探親，沒有觸及持續居住 365 日的限制，從該保險的角度，也不算是定居，賠償時就沒有限制，這一點要在移民前弄清楚呢！

英國買樓　80歲還能按揭？！

退休移民，除了考生活費及醫療開支，還要想想住屋問題。如果希望在當地買入養老居所，或以香港人的心態去投資物業，你更要考慮，是 All cash full pay 買入一勞永逸，還是仍要做按揭？如何證明你仍有收入供得起樓？

移民人士或以投資外地樓收租，退休一族可能難以做到按揭，但各地金融機構按揭不一，如在英國，你買樓買屋，只要老本夠厚，80歲竟然還可以做按揭。

事緣英國政府幾年前放寬了領取私人退休金的限制，由過去60歲提前至55歲。結果，一夜間催生了數以百萬計的「黃金顧客」，當地輿論稱這日為退休金解放日，而商界、旅遊社甚至牙醫也覬覦這個「黃金市場」。

傳統上，英國旅行社廣告主要針對年輕人和中產一族，但自從解放退休金後，以退休人士為主要對象的郵輪旅遊大賣廣告，長短

皆有，包括中歐多瑙河的七天團、環遊地中海的三星期團、加勒比海群島的五星期團，甚至由英國修咸頓港至澳洲悉尼港的七星期團，各適其適，總有一個會適合退休人士吧！

至於買樓收租，這個很多香港人的退休投資項目，在英國有點分別，退休人士當然也會買樓收租，但也有不少是想享受悠閒退休生活的，他們買的是英國南部的海邊度假屋，甚至去法國、意大利、西班牙或塞浦路斯等地中海國家旅居，享受陽光與海灘。

過去，英國退休人士買物業都很難做按揭，一來沒有收入，二來年紀太大，還款期超越了銀行規定的75歲。但近年為迎合這批「黃金顧客」，英國兩家按揭業務最大的銀行也放寬條款，容許按揭還款年齡調高至85歲，即是到了65歲仍可以做20年的按揭買樓。其中一家銀行更容許客戶在80歲時借錢買樓，只不過，還款期最長只有5年，即是還款年齡上限仍是85歲。

其實，一些55歲的人士，一方面領取了退休金，但另方面仍然工作，即是有收入，償還按揭完全沒有問題，所以，銀行也樂意做他們的生意。英國的銀髮市場，因為政府放寬了私人退休金的限制而在催生了商機，不知這股退休潮和相應的市場變化，會否出現在香港呢？

2.4
退休資產
應否包括美元或外幣?

今時今日籌劃退休的人,可能會十分迷惘,一方面可能考慮退休移民,亦可能擔心未來的人生下半場,悠悠的退休歲月裡,港元會有脫鈎風險,到時港元可能會貶值。

我認為,長遠來説,港元是否仍跟美元掛鈎當然很難説,但從經濟發展的角度看,港元跟美元脫鈎,轉移跟人民幣,或一籃子貨幣掛鈎(當中仍有美元),也是香港未來合理的變化。不過,由於現階段人民幣仍然不是全面流通的貨幣,所以,港元跟美元掛鈎的操作,相信至少會維持好幾年,即是我們仍有時間去部署。

那麼,我們的退休資產中,到底應否包括美元或其他外幣呢?

其實,港人的資產中,可能有些已屬美元資產,最簡單是有些美元定期,又或者,你買了美元為單位的人壽或儲蓄保單,即是間接持有美元。

我建議，你應該認真思考一下，退休之後想在哪裡生活。這一點很重要，也決定你的資產分配，準確來説是決定你應持有多少美金或其他外幣！

退休地決定所持貨幣

如果你很肯定留在香港退休，那你的資產八成以上應是港幣，其餘可以是人民幣和美元。持有人民幣，是因為我們跟內地的關係密切，人民幣既可作投資，也可用來消費。

至於仍然持有一些美元，是因為萬一脱鈎，而港元是貶值的話，美元資產可以對沖部分港元下跌的風險。這點我想解釋一下，嚴格來説，如果我們是在香港退休，只持有港元已經足夠，但問題是，香港很多商品靠進口，除了從中國進口外，也有不少從外國進口。如果港元貶值，這些進口商品的價格會上升，我們要對沖這個風險。

如果你已經清楚自己不會在香港退休，那你當然應該累積更多你想去的國家的貨幣了。例如你想去英國退休，那當然要

轉大部分資產去英鎊；假如是澳洲，當然要轉多些澳元；如果是一些亞洲國家或地區，也是如此安排，即是去泰國，就轉泰銖；去馬來西亞，就當然是馬幣了。

問題是，如果你仍然未決定，或這刻仍未決定會在哪裡退休，那你暫時只能分散持有不同貨幣了。但正如我所說，港元的地位在未來三五年應該不會有太大轉變，我相信，你仍有足夠時間去做決定的，考量應否把一些港元轉成美元，有些甚至想到開個「離岸戶口」（準確來說是環球戶口），預先把部分資金調到海外。

MPF 不可轉美金

港元長遠而言會有脫鈎風險，所以近期很多朋友和客戶都問：「是否可以把我的MPF轉去美元」？我可以即時簡單答：「不可以！」

當日設計香港的強積金制度時，決策者已決定所有基金都以港元為貨幣單位。換句話說，如果你買的是北美或歐洲基金，便要用港元換美元或歐元去買。到結算時，也要把美元或歐元轉回港元。因此，如果你買的是北美或歐洲基金，你確實要冒外匯風險。當然，如果聯繫匯率沒有取消的話，理論上沒有太大風險的（匯價最多只會在7.75和7.85之間波動）。

大家手上的強積金資產，說多不多，但說少也不算少，但萬一這筆資產有甚麼「冬瓜豆腐」，也是會肉痛的。

對強積金較敏感的，應是快將退休的朋友。正因為快將退休，已累積的資產較可觀。但如果你是65歲退休的話，那就不是問題，因為你馬上便可以「標會」，提取所有累算權益。到時你想轉美金又好，轉英鎊又好，可以悉隨尊便。

但如果你是60歲退休，甚至提早退休的話，你可能還要等一段時間，才可以提走強積金，轉至其他貨幣。不過，如果你已滿60歲，又真的不再就業，可以做個宣誓，提早取回你的強積金。當然，若然你還未「登陸」便退休，就必須等多幾年了。

如果你距離退休還有一段較長時間，又不想冒外匯風險，那就買港股基金算了，至少不用擔心匯兌風險嘛！

「老本」應三分

早前我跟一位準備退休的朋友Patrick談起「資產配置」的問題，想跟大家分享一下。

Patrick一向以香港為家，沒有想過移民，手上也幾乎沒有任何外幣，只有小量人民幣，但因近年社會紛亂，才令他想到，如果只揸港幣退休，到底有沒有風險的問題。

「如果我不打算移民，只留在香港退休，即使我手上全部只有港元，而港元又貶值的話，問題也不大吧！」

「你的想法一定程度上是對的，只可惜，香港是外向型經濟，大部分商品都要靠進口，所以，如果港元貶值，這些進口商品也會貴了，即是輸入通脹，而你持有的港元，購買力也會相應下跌。」

「但我理解，香港有很多商品都是來自大陸，那麼，我應該換多些人民幣？我唯一有的外幣就是人民幣，但數量不多，本來是用來往內地消費用的！」

「但香港也從外國進口很多其他商品，看你的手提電話，已是韓國貨了！」我告訴Patrick。

「退休是長遠規劃，不應只看現在情況，那應有何應對策略？」Patrick問我。

「我認為，不要只持有一種貨幣的資產，以香港的情況，最好當然是持港元、人民幣和美元各一些。」

「是不是要三分天下？」

「即使一半是港元也是可以的，但始終要有些美元和人民幣！」

「其他外幣也應該買一些？」

「現階段來說，港元跟美元掛鈎，將港元兌換成美元，基本上沒有匯率風險（除非脫鈎，而且是港元升值，而不是貶值），而買人民幣則有很大的實用價值，因為中港關係密切，即使買貴了也沒有太大問題。而其他外幣，例如英鎊、歐元、加元或者澳元，當然可以買些，但由於它們的實用價值較低，只有旅行時用得著，那就等於是投資，最好遇上適合的價位才買，而且只宜小注，因為始終是有匯率風險的。」

第三章

三合一退優篇

年金做膽
長命亦無憂

3.1
年金不是存款
更不是股票

近年政府積極推廣和改良年金計劃，你可能不時收到在網上或 WhatsApp 群組傳來的評論：

「65歲付100萬，每月5,800元，攞20年錢才有 1,392,000元，就算將錢放銀行做定期，而家最高 嗰間都2.15厘，20年複息總共收1,530,000元， 仲多過呢啲所謂年金！」

「俾你去到90歲，攞咗1,740,000元，25年都係淨 賺74萬，除番開都係年息2.9厘左右，不如買100 萬的公用股，或者滙豐（00005），反而有5厘息， 最重要係個本喺番度！」

各位，以上評論犯了一個重大錯誤，就是將蘋果和橙去比較，其實是有謬誤的。

年金「有保證」最重要

首先，大家要明白，年金有兩個部分，一是投資部分，另一是保障部分。投資部分不難理解，因為以上的評論都是將年金跟投資產品比較。**至於保障部分，其實就是保你太長命的風險！** 我們買人壽保險，是保自己萬一太短命，未完成家庭責任就過世，也有一筆保險金給予家人！年金則是反向的人壽保險，甚麼意思？萬一人生下半場加時再加時，自己預備的退休金不夠用，那怎麼辦？

年金可以保證你有生之年都可以支取某一個金額的退休金，而政府的公共年金是真正的保你終身，無論你活到100歲、110歲，也可繼續支取。對比之下，私人保險公司推出的年金計劃，大部分都只保到你100歲，小部分去到高一點歲數，但始終有個上限。

另外，政府年金公布的每月支取金額，全數都是保證你終身支取的，但入場年齡及可投資的金額有限制，而私人的年金，入場年齡及投資金額沒甚限制，但有部分收益是非保證，或浮動的。

其實，政府年金的操作跟私人年金也沒有太大分別，也有機會投資金額不足夠支付終身保證的年金，只不過，萬一做不到，就由政府包底。所以，對年金持有人來說，是非常有保證的！

定存或股息回報　存有變數

上述 WhatsApp 群組提到的定期存款，確實可以保本，但過去 10 年，所謂的利息，只有微不足道的 0.1 厘，何來 2.15 厘？即使現在步入加息周期，也是最高利息的幾間銀行才能做到 2 厘以

上，何況定存利息可升可降，有誰能保證你每年有 2.15 厘息？

同樣地，所謂的收息股或公用股，股息回報確實較定存高，但誰可保證它們會年年派息？誰保證每年派息都有 5 厘？又誰可保證股價不會下跌？

大家可回想年前滙豐暫停派息

的慘況，事實上，2008年金融海嘯後，滙豐的股價不但跌了一大截，更暫停派息！就算所謂的公用股，當年的八號仔（即今日「電訊盈科」），同樣出現股價大跌和不派息！無他，因為這是股票，沒有人可以保證，這些股票的質素可以永久不變！

因此，我們不應該將年金跟存款或股票作比較！年金計劃是退休保險的一種，好處是保本和回報穩定，儼然「自製長俸」，而我已提及，這種是食息又食本的退休方案。

但年金的缺點是，每月發放的現金是固定的，未必可以抗通脹。要抵抗高通脹，就真的要靠定存、定息工具或收息股，這些工具亦是我建議的「三合一退休方案」的另外兩部分，會在稍後章節詳談。

「變種」年金　改進承傳問題

我建議的三合一退休方案中，第一部分的年金計劃，最好選擇保證部分較高的產品，因為退休之後，我們不需要，也不應該再冒風險，因此，低風險而又有合理回報的年金產品是最恰當的。

不過，第一章我已提及，香港的年金產品，無論是套餐式還是散餐式的計劃，其實都是「變種」年金，是香港保險公司因應本地市場特色而改良過的，不是外國「江湖正宗」的年金。

外國流行的「正統」年金，一般的安排是受保人退休時，一次過支付一筆金額予保險公司。保險公司按受保人的年紀和當時的利率水平，「精算」出一個固定的「長俸」金額，當受保人在生時定期發放。因此，整筆年金都是保證的，不存在保證加浮動的情況。

這類「正統」年金的安排是，一旦受保人過世，年金就會馬上停止發放，而家人也不會拿到任何餘額，等於之前付給保險公司的資金會「化為烏有」。所以，大家常說，買年金，愈短命愈蝕底，愈長命愈著數，就是這個原因。不過，有些「正統」年金可安排一個保證派發期，最普遍是保證派10年，如果受保人在保證支付期內過世，受益人可以繼續獲派年金，直到保證期結束為止。大家可以想像，如果有保證支付期的話，每月支取的年金金額會比沒有保證發放年期的稍低。

這種年金在外國很受歡迎，因為外國人對於承傳資產的觀念不及中國人根深柢固。他們重視的是自己在生時是否夠錢用，將來留不留錢給子女，則是後話。

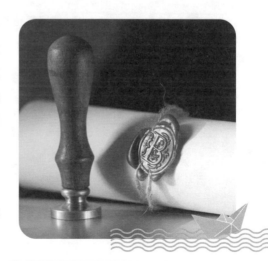

中國人則總希望自己死後能留一筆錢給子女，或者其他親

人。假設退休時，你付了500萬給保險公司，安排「正統」的年金，但3年後你就過世，那500萬就等於付了給保險公司，我們會覺得「蝕底」了，因此，「正統」年金在香港不太流行。所以，香港的年金計劃因地制宜，「變種」了，一般來說，當受保人過世時，年金仍會有餘額留給受益人。

支取安排彈性

補充一點，雖然說「正統」年金在香港不大流行，但香港幾家主要保險公司仍有提供這種產品，但要度身訂做，即是客人提出一個金額，例如500萬，保險公司就替你報價。當然，在香港買這種「正統」年金的人不多。

香港「變種」年金跟「正統」年金有3個主要分別：

第一，「變種」年金較少是退休時一筆過支付，主要是在退休前分期支付，最普遍的支付期是5年、10年、15年，以至20年不等；而支取期也不一定是終身，也可以是10年、20年或30年等等。

第二，近年推出的「變種」年金，投保人可以選擇定額支付年金，也可以選擇遞增式支取年金，這樣就可以抗通脹。

第三，「變種」年金中，如果投保人選擇了一個年金支取期，但不幸在支取期前過世，年金戶口內的餘款是會支付予受益人的。而且，個別保險公司也容許受益人繼續以年金方式支取該筆餘款，直到支取期結束！

或許有人會問，如果想退休後的「黃金十年」多支取一點，過了該10年後，反而減少支取，這樣是否可以呢？其實，「變種」年金的安排很彈性，就算安排了支付金額，你也可以選擇不支取，或調轉多支取一些。當然，早期支取愈多，會影響後期支取的金額，但怎樣影響要看實際的數字而定。

又或者，大家可考慮分兩份年金來安排。其中一份選擇10年的支取期，另一份則安排終身支取。那麼，你退休後的首10年就有較大筆的生活費了。

如果大家有興趣這種「變種」年金，其實愈早安排愈著數，因為你需要時間讓你的儲蓄滾存，日後才可支取更大金額。「正統」年金則可以等到退休時才安排！

年金有套餐有散餐

我知道，近年保險公司最暢銷的退休產品不是定期定額派發的那種年金（我形容為套餐），而是可以讓客人靈活提取資金的純儲蓄產品，變相可以達到年金的效果（我形容為散餐）。補充一點，「套餐」或「散餐」都由保險公司提供，讀者有機會在銀行買到，但其實銀行只是代理，代理外面保險公司或銀行集團旗下保險公司的產品。

回說年金產品（套餐）和純儲蓄產品（散餐），重要分別是回報率、保證與非保證回報的比例。大家可以這樣理解，回報率愈低，保證部分就愈高；回報率愈高的話，保證部分就愈低。

如果一項投資產品保證提供5%以上回報的話，你千萬要問清楚風險。今時今日，市場上不可能提供5%以上保證回報的，因為被喻為風險最低的美國30年長債，有時候連3%回報也不到（Risk Free Rate，無風險利率），大家又怎可能期望一項投資，可以保證提供5%以上回報呢！

如是他真的說保證呢？那就是出售這項投資給你的發行商向你保證，你就要看看他的信貸評級了！簡單來說，就是你「信唔信佢」！

我認為，如有5%以上的回報中，很大程度上應有部分是預測數字，即是非保證回報或浮動回報，因為非保證回報可以一個仙都沒有，回報率可以很低，但也可以高。

超長線回報　勿介懷加息

整體來說，套餐式的年金回報率較低，一般都有4至5%（原因上文已經指出），即使如此，要全數保證也不可能，所以，當中1至2%的回報可能屬於浮動，但保證部分已達到七成多，甚至八成了。

其實，作為一項長線投資產品，年回報大約5%已經不錯，而且當中有大部分是保證的回報。作為退休財務安排的一部分，更不應追求高回報，因為退休之後不應再冒風險，所以，低風險而又有合理回報的年金產品是最恰當的。

我明白，如果身處加息周期時，自己的長線年金產品，回報率或有一段時間不及市場息口，但年金的「投資期」動輒幾十年，只要你想想，過去十幾年的超低息環境時，你已經「賺」了很多，現在只是少許的獲利回吐，那就不會感到不是味兒了。

3.2
政府年金
早買早著數

香港政府自2018年推出公共年金後，市場反應可以用慢熱來形容。經過不斷改良和廣告催谷之後，現時已廣為人知。隨著人口老化，退休人士對於能提供長遠和有穩定回報的投資產品，需求甚殷。

公共年金推出之初，反應冷淡，發行的100億金額，最終9,410人認購（全港有110萬65歲或以上的長者），總認購額49.4億元，即是不到發行上限的一半。那時候，大眾對於年金有點抗拒，主因是大嘥嘥撥出幾十或100萬（最初認購上限是每人100萬元），這筆錢只能靠自己長命去每月「賺」回來。但萬一早死，是有機會蝕錢的。

如果不想蝕，就要繼續每個月「攝」，直至達到政府年金保證可取本金的105%為止。另外，買入年金之後有任何突發需要，投保人想提早一筆過取回，則唯有退保一途，同樣有機會蝕錢。

政府年金3.0面世

年金公司（由按揭證券公司全資擁有，負責公共年金的計劃）汲取教訓，綜合市場意見後，於半年後改良產品，可稱之為政府年金2.0。改良措施包括，如一旦受保人過早身故，後人可以每月支取年金至105%為止，但也可以即時取回105%的保證金額，即是不會有損失的。

另外就是特別款項提取安排，如果投保人因為疾病或意外，急需資金，可以提取已繳保費的五成，或最高30萬元（以低者為準，在已支取的年金中扣除），作為應急費用。當然，提取之後，每月支取的年金會相應減少。另外就是放寬個人投保上限，由100萬元提高至200萬元。

到了2022年，年金公司更將入場年齡由最初的65歲，降至60歲，令到客戶層面進一步擴闊，然後再把投保上限由200萬增至300萬，而由2022年6月1日起，年金公司又將個人投保上限，由300萬調高至500萬。

另外，特別款項提取安排也由原來的30萬，大幅提高至100萬，或已繳保費的五成，以低者為準。層層改良之後，這可算是政府年金的3.0版本。

吸引各階層的彈性安排

計一計數，以60歲人士投保500萬港元為例，男性及女性分別可獲發25,500元及23,500元的每月年金。如果兩夫婦一起投保最高金額，二人每月合共便可支取49,000元退休金。以今時今日一般中產的退休人士來說，這才是較吸引的計劃呢！而且，500萬只是上限，公共年金的金額可大可小，現時安排靈活多了。

當然，如果因應通脹因素改善定額支取安排，改為遞增式支取金額，或按通脹調整，則更無懼悠悠歲月令購買力日益下降的煩惱了。當然，也有人認為，年紀再大一些時，用錢需要反而小了。無論如何，如有這遞增式支取的選項，政府年金就真是不俗的退休投資工具了。

正如年金公司年前找來盧宛茵代言的電視廣告，借用武俠小說的橋段，話說要開退休理財武林大會，其中有人靠股票退休，要盯住個市不能赴會；另外有人靠存款退休，因為沒有利息，戶口接近「乾塘」；也有人靠債券退休，但買債券始終有違約風險；也有人靠結構性產品ELN收息，但買ELN背後也是股票，始終有風險。只有盧宛茵買了月月有糧出的政府年金，可以輕鬆出席武林大會。

政府年金約17年回本

早前我替一位朋友查問政府年金的投保手續，打去年金公司查詢，原來投保要預約，要排期個多月呢，可見經過一輪改進——降低入場年齡、加大投保額，再大力度宣傳後，政府年金愈來愈受歡迎了。

我要強調，年金只是我們退休資產的其中一員（應佔三分一的資產），投入金額完全因應個人的能力和需要。年金，尤其是政府年金可以提供一個保證的現金流，對於已退休再沒收入的人士來說，這筆錢的意義是一份安全感。

政府年金有政府保證，又可以終身支取，長遠的回報率又達到4%左右，我認為已經不錯了。

我仍想提一下，買年金的意義是怕自己太長命，坐食山崩。因此，年金最核心的概念就是將自己退休時累積的資產，轉化成一個永續的現金流，這種食息又食本的退休方案，等於自製長糧，那就不怕收尾幾年無錢過活，或者有病無錢醫了！

但要注意的是，政府年金要60歲才可以入場，並保證最少可取回本金的105%，按每年本金率大約7%計算（按證公司的估計），支取17年，即到了77歲時就大致回本。

從另一個角度看，如果這時「拜拜」就最唔抵了，但如果閣下長命百歲，那你就最著數了，而這也是年金的遊戲規則。

用強積金買年金有著數

前特首林鄭月娥於2021年發表任內最後一份施政報告時，其中一點是鼓勵市民將強積金於退休時一筆過提取時，轉化成定期可領取的年金，為長者提供穩定收入。

在此之前，時任勞福局長羅致光已放風説，考慮「強制」市民將強積金轉成政府年金。此語一出，輿論嘩然，因為強積金當中的

「強」，已經令市民感到不是味兒；如果再有「強年金」，相信反對的市民會更多。

可能因為此項建議的反對聲音很強烈，因此，政府馬上改變口風，表示只會想辦法鼓勵。但從施政角度，我相信政府真的有心「強制」，因為退休人士全部買年金，就等於將人口老化兼長壽的社會風險，轉嫁給保險公司（年金公司也要領取長期保險的經營牌照）。大家可以想像，如果沒有年金，又沒有政府長糧，退休之後你也不敢太大使吧，因為今時今日你極可能很長壽，分別只在活到80歲，還是90歲，甚至超過100歲！

大家可以想像，如果全香港退休人士都沒有年金或公務員長俸，即是個個退休之後都要因住使，經濟動力又怎會強呢？！相反，如果人人都有長俸或年金，就不會勒住勒住了（銀髮一族本來是高消費的一個群組）。因此，保險或年金，其實是經濟的「潤滑劑」，政府又怎不想讓人買年金，以及醫療保險（自願醫保）呢？

既然不能迫，那就鼓勵吧！所以，年金公司已經用眾多著數來吸引退休人士買年金了。

前一兩年，只要你有強積金戶口，買公共年金確實有優惠。舉例說，你想買100萬年金，而你的強積金戶口剛好有100萬元，就可以全數有2%的折扣，即是只需要付98萬元便買到100萬的年金，變相提高了回報！

如果你買200萬年金，但你的強積金戶口只有100萬，那麼，100萬的部分也有2%折扣，即只付198萬，慳2萬元，變相等於1%折扣。又或者，你的強積金戶口有200萬，但你只做100萬的年金，即全數100萬會有2%折扣，同樣只需付98萬，變相等於2%折扣。

我估計，政府會繼續沿用這一招，日後或許會在折扣率方面動腦筋，大家當然希望，折扣率可以再提高。

不過，年金公司最近取消了「強積金優惠」，反而直接提供保費折扣優惠。我認為，如果要進一步擴大公共年金的滲透率，其實可以雙管齊下。如果願意在65歲可以提取強積金時，馬上轉去買公共年金，按照轉移的金額再提供折扣優惠。

由於公共年金的認購年齡已經降低至60歲，如果這時以提早退休為由提取強積金，而又願意轉去買公共年金，我認為也可以給予優惠。

3.3
私人年金
可惠及三代人

上文提到，私人市場的年金勝在靈活，例如沒有60歲入場門檻，也不止可買500萬，也不一定需要一筆過買等等。另外，還有一點是政府年金不可比擬的，那就是，私人年金不只自己食過世，更可以食足三代！

其實，政府年金是採用最傳統的支付安排，即是以自己的名義去買，甚至要分男女計算金額，因為男人比女人短命，所以每月可以攞多點錢，而女人較長命就攞少一點。不過，私人市場的年金卻有不同安排。你可以不用自己的名義買，而以你子女的名義買，甚至用你孫仔孫女的名義買。

整體較公共年金靈活

在此，我要先交代一下。法例上，年金是由保險公司簽發的。一份年金，也就等於一份保單，而保單主要有3個角色，一個是持有人，一個是受保人，另一個就是受益人。

你在保險公司買私人年金，當然是用自己做受保人及持有人，用自己配偶或子女做受益人。如是的話，支取年金的權利是你，因為你是持有人，而支取期限就以你的壽命為依歸，這就跟政府年金沒有分別。萬一自己早死，年金戶口仍有錢，就會留給受益人。

但保險公司的私人年金，卻容許你以直系親屬來作為受保人，你自己做持有人和受益人。

假設你以自己的子女作為受保人，他們只有30歲，而你已經60歲。年金生效後，你開始支取年金退休。由於私人年金的支取額可以自定，如果你支取的金額不太大，30年後你壽終正寢，這份年金有仍未支取完畢，到時你的子女會變成受保人兼持有人，當時他們只有60歲，可能退休了，便可一筆過支取餘額，又或繼續以年金方式支取。

這時，他們可以更改受益人為他們的子女，即是你的孫仔孫女，到了你的子女也在天堂跟你見面時，這份年金才結束。如果當時戶口仍有錢的話，這筆錢還可以有受益人繼承，這是不是等於食足三代？

30歲開始供　50歲支取也可以

退休生活的起步點和豐裕程度因人而異，政府年金始終有限制，如果年金計劃的彈性再大一點，始終會對退休人士多點好處。因此，如果大家還未到60歲，但已經準備退休，只有靠私人市場的年金了。總的來說，私人市場的年金比較靈活，你喜歡30歲開始也可以，50歲提早退休時便支取也可以。

而且，私人市場的年金，未必需要一筆過給予保險公司，可以透過定期儲蓄的方式來累積。另外，更重要的是，私人年金沒有上限的，你想買500萬以上，甚至1,000萬也可以！

回報方面，簡單來說，保證成分較高的，回報會低一些；保證成分較低的，回報會高一些。

支取安排方面，近年保險公司推出了無限次轉換受保人的「散餐」年金（儲蓄計劃），只要你或你的後人仍未支取完，或暫停支取一段時間，讓資金滾大，你的資產更可以一代一代承傳下去。

不過，如果你不想或不用承傳資產，想一筆過支付予自己的子女，但又擔心他們沒有足夠理財能力，也**可以要求保險公司在你過身之後，以定期定額的方式支付予他們，以免他們因為忽然富有而揮霍金錢，又或遭壞人覬覦。這種安排就好像是一個「迷你信託」，重要的是，這是免費的信託。**

總結一句，私人市場的年金勝在靈活，可以補政府年金的不足，大家不妨多了解一下。

第四章

三合一退優篇

收息股
愈早買愈好

4.1
定下收息目標
及策略

上兩章分享過我對安老按揭及年金的意見，現在想跟大家談談，也許是最多港人有興趣的股票了！

「食息唔食本」抗通脹

三合一退休方案中，來自股息的收入應佔未來退休收入的三分一，因為優質收息股的股息是「食息唔食本」，平均回報隨經濟增長，有力抵抗通脹。依此思路，若你退休後每月需要3萬元收入，那來自股票的收入便應是一萬元，一年收入便是12萬元。

定下這個收息目標後，接下來，你便要有一個股息率的估算。上文提及，説得上是收息股，股息率最好有4%或以上。就假設股

息率是4%，目標一年收股息12萬元，即以12萬去除4%，代表你要累積300萬元左右的收息股（餘此類推，以股息5%計算，即240萬元收息股）。

驟聽起來，「300萬收息股」不容易。但只要你愈早累積，就有可能不用300萬元便達到目標，因為股票有機會升值。不用投入300萬，也可能累積到足夠市值的股票去收息。又或者，你現時投入的資金已達到300萬的話，如果將來股價升，即使派息率不變，你的股息收入也可能高於4%呢。

那如何累積收息股呢？我建議有紀律地累積，一以月供形式買入。二，趁年底有一筆額外的花紅或收入時買入。三，有耐性地趁每次跌市之後，股價仍然低迷時收集。**以上都是技術性考慮，最重要還是明白收息股的本質，以及選甚麼收息股。**

增長股 vs 收息股

最近我有位好朋友正計劃建立一個退休投資組合，距離退休還有

大約 5 年，他問：「退休之後，我的股票投資應有多少回報才足夠？」我認為，跟他討論這問題很有意思，因為這涉及收息股的本質，而我這位朋友是高級打工仔，投資一向比較進取。

「原則上，你這個問題應該分兩方面去答。一方面是主觀因素，另方面是客觀因素，但由於你的問題焦點是集中退休後，我認為，主觀因素已經不重要！」朋友被我的主觀、客觀弄得有點暈頭轉向。

「為甚麼現在主觀已經不重要，真的一頭霧水！」

「如果一般的投資組合，那主觀因素就取決於你是否願意冒風險。如是便要求一個較高的投資回報率，但客觀因素要看你的年紀和收入，即是說，萬一失利也有大把本錢去收復失地。但當你談的是退休回報，我認為，即使你願意冒險，但你已不再年輕和失去收入，所以，投資時便不應再要求一個較高的回報！」

「嗯，其實我本身也不是太進取的人，所以，不一定要很高回報呢！」

「是嗎？剛才你說，已為退休作準備累積收息股，但一提到一些增長股如騰訊（00700）近10年以來表現突出，升了不止4倍多，你就有點後悔，還說應早早用那筆錢去買！」

「嗯，這確實是我的心底話呢！」

「記住，你買收息股的目的，看重的不應該是股價升幅，而是她的派息能力！兩者不應混為一談！」

「那麼，我應該期望這些收息股可以提供多少回報呢？」

愈早累積收息　愈有雪球效應

「如果以市場公認的無風險利率指標，即美國的國債孳息率來作參考，現時的美國30年長債孳息，回報只有大約4%。早前息口低企時，更跌過低於3%。就算在金融海嘯前，息率高企時，也不過5%左右。因此，作為退休回報要求，其實4至5%已算合理，但凡超過這個預期的，都必須冒額外的風險了！」

「嗯，明白，但如果是股票的話，應該可以預期高一點？」

我

「正如收租物業一樣,如果你是在低位買入,只要股息率維持,你的息率回報其實更高。我舉個例你就會明白。你用50元買入某股票,當時該股票的每股派息是2.5元,股息率就是5%。到了今日,假設該股票升至60元,息率仍舊5%,即是每股派息3元,以你的買入價計算,股息率其實是6%(**3/50 x 100%**)。

所以,我經常鼓勵人提早累積收息股,將來的回報,真的不止4至5%那麼簡單,甚至有機會高至10%以上!」

4.2
可以「付託終身」的收息股

收息股林林總總，放入退休組合，買太多會難於監察，買太少又會冒過度集中的風險。所以，我建議選5隻會較適中。然而，香港近年營商環境絕對可以用嚴峻來形容，上市公司能夠賺錢兼有增長的，可謂寥寥可數。踏入2022年的加息周期，幾乎全球股市都無運行，大部分港股更加跑輸環球大市。

但這正好讓我們來一次大測試，看清楚哪些收息股能夠「頂得住」衝擊，甚至淘汰那些追不上時代和經濟周期變化的股票，只留下抗疫力最強的，讓她們成為你未來十幾年，可以「付託終身」的可靠收息股，退休族面對種種難關也能處變不驚。

退休收息股大執位

2019年前，我的收息股組合是中電（00002）、滙豐（00005）加建設銀行（00939，下稱建行）作為一組；香港電訊（06823）、滬杭甬（00576）加灣區發展（00737）作為一組，以及盈富基金（02800）。我於2021年，將這個收息股組合大執位，汰弱留強，再加入新成員。

滙豐令人最失望，因為「不由自主」地暫停派息（在監管機構要求下），令很多擁躉「頓失依靠」。因此，即使滙豐恢復派息，但派5厘以上股息的日子應該不再，所以我決定剔走滙豐。

其實，我素來認為銀行股不是可靠收息股，但因為四大內銀是國有的商業銀行，至少不會有倒閉的風險，加上息率確實較高，所以我才挑選一隻較好質素的內銀——建行。但既然我剔走了滙豐，也就一併剔走建行吧！

至於公路股，連年疫情下業績肯定不會好，派息必定會減少。再者，公路股規模較細，較難抵禦外來經濟因素的衝擊。因此，我也放棄持有的兩隻公路股。

另外，盈富基金的派息主要來自一眾藍籌股，即恒指成分股，但近年恒指成分股加入了大批不派息或低息的科技股，變相拉低盈富基金的息率。所以，未買的建議不要買入，但如果你像我一樣，是在低位置買入的，繼續持有也可以，因為盈富基金相對穩陣，完全不派息的機會也十分低。

疫情照派　五大收息股

即是說，2019年前的收息組合，我只保留中電和香港電訊，加入3個新成員：長江基建（01038，下稱長建）、領展（00823）和中移動（00941）。這3隻股票的業務性質都類似公用股，尤其是長建和中移動。經過近年一段時間的股價調整，上述三者於2022年的息率都提高了，尤以中移動最吸引，現價計有8厘以上，而領展也回升至5厘之上，長建更逾6厘。

如果我將以上收息股以平均注碼分配，計算出來的平均息率是6.3%，超出我對收息股5%息率的要求。

記住，股票的變數始終較其他資產大，所以買入後需要定期監察，重點不是她們的股價變化，而是她們的派息政策與能力是否有變。

中電盈警無損派息政策

這個組合內的5隻退休收息股（長建、中電、領展、中移動和香港電訊），我們可就其2022年第三季公布中期業績和中期息的派送，回顧一下其表現。五大收息股之中，表現最差的應該是中電，她的中期業績「意外地」虧損48億港元。

消息公布時我分析過，這個會計上的非現金虧損只是一次性，無損中電的經營。詳細一點解釋，根據中電的通告，由於澳洲電力市場價格飆升（有大型燃煤電廠停運和商品價格高企），但他們在電價上升前，基於業務對沖需要，簽訂了一些遠期的售電合約，導致會計上的虧損（按照國際會計準則，這些帳面上的虧損要計入當年的盈虧之中）。而最終的會計上虧損，要視乎合約到期日的價格。

業務對沖有別於投機性的對沖，以今次中電的個案為例，主要是因為中電擔心未來電價下跌，所以率先沽出一些售電合約，以鎖定收入。但現實是，電價因為種種原因不跌反升，而且是大幅飆升。因此，在這些合約未到期前，因為公平價值的不利變動，便出現帳

面上、或稱會計上的虧損。如果相反，電價真的下跌，這段期間，中電便會出現帳面上的利潤。

中電所發的，變相是一個盈利預警，但合約到期前，她的帳面虧損仍會有上落。當合約到期時，就會正式計算最終損失。但我想指出的是，這只是一次性的會計上損失，跟業務營運是兩回事。但整體來說，由於這些損失要計入整體業績，所以，在業務營運上所賺的錢，很大可能被這些虧損抵消了。

當然，我們更重要是觀望管理層的派息政策，中電於公布2022年中期業績時，宣布第二季派息（中電派季度息）維持1.26元不變。由此可見，管理層對經營前景仍有信心。我估計，全年派息至少可望維持，甚至有機會輕微增加。

因此，如果你仍然想增持中電，現在是不錯的時候，因為過去多年，中電股價都一直高企在70元以上，現在難得可以低一至兩成左右買到，而預期息率升至5厘以上呢！

退休人士買收息股，也不應該太著重短線變化，大家應該從長遠的經營去考慮是否應該持有。當然，我會繼續觀望，只要中電能夠維持相近的派息水平，繼續持有是無妨的。

圖表 4.1 中電派息 (2017-2022)(港元)

	第一季	第二季	第三季	第四季
2022	0.63	0.63	0.63	NA
2021	0.63	0.63	0.63	1.21（共 3.1）
2020	0.63	0.63	0.63	1.21（共 3.1）
2019	0.63	0.63	0.63	1.19（共 3.08）
2018	0.61	0.61	0.61	1.19（共 3.02）
2017	0.59	0.59	0.59	1.14（共 2.91）

資料來源：經濟通

除了中電情況特別，其餘四大收息股的股息都有增加，最突出當然是中移動，令到預期息率增至8厘多，也是五大收息股之中，息率最高的一隻（但要扣除一成股息稅的）。也因此，中移動是五大收息股之中，於2022年股價表現最好的一隻，截至8月底，比年初上升了一成二，某程度抵消了中電的股價跌幅。

另外，領展於年中宣布的派息減少了1.6%，但其實，那次是領展的末期息（年結日是3月底），故以2021年度計，領展股息是有增加的。而領展於2022年11月公布業績時，中期息比去年同期減少2.6%，但這是中期息，加上去年的中期息增幅較大，在基數效應之下才出現減少，因此，我建議等末期息公布了才作研判。

長建最襟撏！

至於長建和香港電訊，雖然2022年以來也有一定跌幅，但中期息仍然有輕微增長，已算及格了。有次跟朋友Billy分析他手上的長建，因為這隻股票是他手上蝕得最多的收息股，我則認為長建可能是最「襟撏」的收息股，便問：「你知道我們買股票收息，首要考慮甚麼嗎？」

「最重要當然是要派息，不要像滙豐這樣，突然不派息囉！」Billy自然反應地說。

「像滙豐那樣，她的賺錢能力是有的，但礙於經濟環境，她就未必年年都賺咁多，如是的話，就會影響她的派息能力了。業務愈穩定，盈利也就愈有保證，那派息就當然無問題了。長建的主要業務都離不開水、電、公路和橋樑等等，業務地點也是全球化，不是集中某一地方，當中包括香港、內地、英國、澳洲和新西蘭等等。所以，從業務穩健程度去看，長建是不錯的。」

「但為甚麼她的股價這幾年都不斷下滑呢？我是2016年退休的，那年也是長建股價最強的時候，幸好我早年也有買過長建，我退休時在高位又買了一些，現在的平均價也要50多元左右呢，但現在長建股價只有40元左右！我在帳面上蝕了兩成多呢！幸好，這幾年我也收了接近10元股息，所以，實際上只蝕幾個巴仙！」Billy說起來也不太擔心，因為長建的派息很穩定。

「這幾年長建的股價確實令人失望，當中涉及很多因素，其中她英國有較多業務，早年的『脫鈎』問題困擾長建，英鎊匯價回落也影響了她。但有一點很重要，長建的派息仍然每年增加，即使有時只是象徵式加一點點，但反映管理層確實想股息回報年年增長，這是管理層引以為傲的事。所以，我認同，長建是很『襟揸』的收息股呢！」

我相信，長線投資公用收息股，回報應該比起盲目去買一些潮流概念股更好，2022年上半年是另一次證明。

圖表 4.2　五大退休收息股 2022 年股價和中期息變化 (港元)

股票名稱	2021年 12月31日	2021年 8月31日	變幅	2022年 中期息	預期 息率
中華電力 (00002)	78.75	67.7	-14.1%	1.26[#] 不變	4.7%
長江基建 (01038)	49.65	47.1	-5.2	0.7 +1.4%	5.6%
中移動 (00941)	46.8	52.6	+12.4	2.2 +34.9%	8.3%
領展 (00823)	68.65	68.65	不變	1.4608* -1.6%	5.1%
香港電訊 (06823)	10.5	10.54	+0.3	0.3136 +2.1%	7.2%

截至 8 月 31 日

[#]中電派季度息，此為首兩季股息總和

*領展的年結日為 3 月 31 日，此為 2022 年的末期息，由於中期息增加了，全年派息仍有 5.4%
　增長

資料來源：經濟通

五大收息股　前景中性

我認為，以檢視中期業績觀之，這五大收息股仍然可靠，值得長期持有。不過，在2022年9月份，卻迎來近十多年港股最差的一個月份，恒生指數單月下跌2,731點，跌幅逾一成三。而且，最驚心動魄的就是大部分收息公用股也跌得厲害。

傳統上，當大市不明朗，或有下跌壓力時，專業的基金經理就會將一些增長股轉去公用股，因為這些股票抗跌力度較好，也可以有較高的股息回報。但連公用股也大跌的話，反映市場情緒十分悲觀，投資者只想持有現金。當然，市場變化真的難以預計，我想再跟大家分享，對此五大收息股的前景看法。

2022年以來，環球投資市場的不利因素主要有兩個，一是美國的「暴力加息」，但美國大幅加息的主因是通脹暴升，而通脹與疫情和俄烏戰事有關。另一邊廂，美國經歷了幾年的量化寬鬆貨幣政策後，也需要逐步縮表和收水，收緊銀根自然會推升市場利率。無奈這兩件事同時發生，所以利率上升的幅度和速度都超乎市場預期。

美國大幅加息，令到美元強勢，相對其他貨幣都明顯轉

弱。在我推介的5隻收息股當中，只有長江基建有較多英國業務，英鎊大跌會影響長建的匯兌收益，但對實際業務沒有太大影響。而且因為英國通脹高，其公用事業可以適當地加價，以減低成本上升的影響。綜合來說，負面影響都是可控的。

至於中移動，我認為是最不受近期內地宏觀經濟影響的，所以，她2022年首三季仍有正回報。其餘3隻股份之中，領展和香港電訊所受的影響也不大，而中電則受到資源價格上升的衝擊，海外業務挑戰較大，但本地業務受准許利潤協議「保護」，問題不大。

因此，我認為，如果持有這5隻收息股，暫時受到的衝擊應該不算大，除非她們的派息也出現變化，我對她們的評級是「中性」，但當然要持續觀望，以防公司基本因素有變，如多年前的滙豐一般，禍及派息政策！

收息「第二選擇」：三大中概股

不過，有朋友不斷問，以上5隻收息股推介之外，還有其他選擇嗎？大家的喜好不同，希望不是來來去去那幾隻股票。雖然我認為，只要是優質的收息股，永遠都是那幾隻沒問題。只不過，我也同意，股票的最大風險就是會不斷變化，包括市場和管理都可能變差。所以，除了「第一選擇」，有「第二選擇」也是應該的。

但我想重申一下，可以「付託終身」的收息股，最好是公用類別，即是業務不太受經濟循環影響，這樣盈利較有保證，派息自然更可靠。當然，在穩定之餘，管理層始終需要與時並進，不能墨守現有的業務模式或「食老本」，否則，盈利可以像「溫水煮蛙」一樣被蠶食。

好了，除了上文的5隻收息股外，我認為值得推介的「第二選擇」有3隻股票，包括中海油（00883）、中電信（00728）和中國海外（00688）。

如果大家有留意股票的，應該馬上看出來，中國海外是內房股，業績和派息可能很波動，也適合作為退休收息股嗎？另外，中海油是油股，油價的波幅可以十分厲害。2020年疫情大流行時，國際油價就曾經跌至負數，而中海油的股價、盈利，以至派息也受到影響。

至於中電信，我已經推介了中移動（00941），而中電信的業務跟中移動幾乎是一樣的，但中移動的規模和賺錢能力都優於中電信，而派息也比中電信慷慨，為何還要揀中電信呢？！這些問題值得商榷，但這都是第二梯隊，理論上，她們的收息質素稍遜於「第一梯隊」。但從另一個角度，她們也有自身的優勢，大家也可考慮在其中再選一隻加入組合。

圖表4.3　3隻第二梯隊收息股 2021年業績和派息比較 (人民幣)

	中國海外 (00688)	中電信 (00728)	中海油 * (00883)
營業額（億）	2,422	4,396	2,461
盈利（億）	401.6	259.5	703.2
每股盈利（元）	3.67	0.31	1.57
每股派息	1.21 港元	0.17 元	0.3 港元
派息比率	30.1%	54.8%	15.5%
預測息率	5.6%	7.7%	12.1%

*中海油 2021 年不派末期息，後來以 1.18 元特別息取代，故 2021 年只有中期息，才令派息比率
只有 15.5%

資料來源：經濟通

中海油是第二梯隊首選

我曾經提過，作為理想的退休收息股，業績穩定是最重要的，因
為只有穩定的業績，才能有穩定的派息。你可能會奇怪，為何我
會推介中海油為收息之選。

表面上，中海油的業績極受油價波動影響，2020 年就是最好的
例子，當時全球疫情大爆發，油價竟然跌至負數，令人十分震

驚。但該年度,中海油的業績只是倒退,沒有虧損,而且能夠繼續派息,只不過,派息金額減少了四成多。其實,即使以2020年的派息0.45元人民幣計,息率也有5.5厘左右。

不要忘記,這已經是最差的日子,2021年的情況已好轉,但她除了派發0.3元人民幣的中期息外,還派了一次特別股息,共1.18元,慶祝上市20周年。另外,公司管理層承諾,由2022年起的3年,每年派息的金額不會少於0.7港元,但2022年的中期息已派了0.7元人民幣,即是已經超額完成。如果計及末期息,息率已逾10厘,實在是非常吸引的一隻收息股呢!

我想指出的是,中海油的業績無疑會受油價影響,但正常情況下,她是一隻超高息的收息股。即使遇上2020年的極端情況,她頂多變成一隻正常的收息股而已!再者,早前中海油公布2022年的經營策略時,除了繼續增加投資和擴大產能外,還提到,近年公司股價十分低迷,未能反映真正價值。因此,將會提呈股東大會通過股份回購,以支持股價。

147

更重要的是,中海油還承諾,未來幾年的派息比率不會少於四成(正常情況下大約是五成),而以實際金額計,無論業績如何,2022至24年的每股派息不會少於0.7港元(含股息稅)。

以目前的油價走勢,未來幾年平穩向上的機會很大,甚至再升一點也絕對有可能,即是説,中海油的盈利還會增加,派息也會增加。在股息上升,股價不虞下跌的情況下,我相信,中海油絕對是第二梯隊的首選呢!

圖表 4.4　中國海洋石油 (0883) 股價圖 (2018-2022)

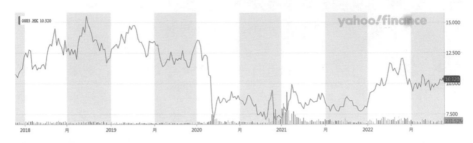

資料來源：YahooFinanceChart

中電信中移動「合併」收息

再談中電信。中電信跟中海油一樣，都對股東作出派息承諾。她跟中海油一樣，遭紐交所撤銷了美國預託證券的上市地位。在減少了美國投資者之後，中電信的股價一直偏弱，未能反映真正的價值。

事實上，三大中資電訊股都遭遇同一命運，那就是受到美國制裁。不過，中電信特意優化了她們的派息政策，以留住和吸引更多股東，以配合她們去年回歸內地A股市場。我認為，中電信最新的派息政策，比中移動有過之而無不及，值得大家考慮作為「第二選擇」。

該公司於2021年中宣布,為了回饋股東,派息比率增至六成。而且,由回歸A股後的3年內(2021年8月回A),逐步將派息比率再提高至七成。另外,該公司也由2022年起增派中期息。過去,中電信跟大部分國企股一樣,每年只派一次息,那就是末期息,而她的派息比率過去只有五成左右。

2021年中電信的每股盈利0.31元人民幣計,2022年的中期盈利增長一成,以此推算,2022年的全年每股盈利大約0.341元人民幣,如果派息比率是六成的話,每股派息應該有0.21元,折合約0.23港元。以中電信近期平均股價2.8元計,息率約8.2厘,即使扣除一成股息稅,息率仍達7.2厘,吸引力比中海油有過之而無不及。而且,該公司已按照承諾,2022年首次派發中期息0.14港元。

中電信和中海油的公布,最大分別是欠了回購股份這一點。如果在增加派息之餘,還配合股份回購,股價便有更大支持。投資者也不用擔心,收息之餘會蝕價。

因為中電信優化了派息政策,她的股價已經從今年起轉強,我相信這個政策已經奏效。即是說,大家不用太擔心她的股價。作為一隻及格的收息股,只要股價維持穩定,中長線有少許升幅已經足夠。我相信,中電信有能力做到。

當然,大家仍然會問,如果我還是喜歡中移動,是否需要轉去中電信呢?我的看法是,中電信大約等於五分一隻中移動,論可靠程度,當然以中移動稍勝,但中電信的實力也毋庸置疑,現價的息率跟中移動差不多(中移動的預期息率大約8.3%),大家可以減持部分中移動,轉去中電信,將兩者合併起來,當是一個電訊股組合,又或者,妳仍然喜歡中移動,不變也無妨呢!

圖表 4.5 中國電信 (0728) 股價圖 (2018-2022)

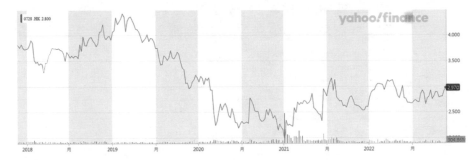

資料來源:YahooFinanceChart

中海外是穩陣收息股？

上文分析的中海油和中電信，業務都有點公用性質。現在再細看一隻以內地業務為主的地產股，即內房股中國海外（簡稱中海，00688）。一提起內房股，大家可能只會想起中國恒大（03333），而想起恒大，也就不難聯想到高負債。如果是這樣的話，我先給大家一顆定心丸，因為中海完全是財政健全的內房股。

中央提出的「三條紅線」，包括扣除預付款項後的資產負債比率不得大於70%（衡量舉債能力）；淨負債比率不得大於100%（衡量整體償債能力），以及短期現金要大於短期負債的100%（衡量短期償債能力），中海完全符合到，即是屬於「綠檔」的企業。正因為中海的財政健全，遇著其餘內房企業的債務危機時，她更可能作為「白武士」拯救同業，有能力趁機「執平貨」呢！

回說她作為收息股的可靠性。有人可能會質疑，地產公司的經營風險不小呢，業績可以大上大落，未必適合作為收息股呢？！但中海有點不同，她是內地大型發展商之一。內地的地產市場正在不斷發展，如果能以流水作業、「貨如輪轉」的方式經營，地產發展是很穩定的生意。

我認為，中海確實能夠做到這一點。過去30年（中海是1992年在港上市），中海業績都十分穩定。從2003年起，中海每年的派息都有增長，這一點就足以證明她們的經營是十分穩健的（見圖表）。

圖表 4.6　中國海外過去22年派息記錄 (年份/港元)

*2022年為中期息；2015年有特別息0.31；2012年有特別息0.02

2022	2021	2020	2019	2018	2017
0.4	1.21	1.18	1.02	0.90	0.80
2016	2015	2014	2013	2012	2011
0.77	0.61	0.55	0.47	0.39	0.33
2010	2009	2008	2007	2006	2005
0.28	0.20	0.13	0.12	0.10	0.07
2004	2003	2002	2001		
0.06	0.05	0.03	0.04		

圖表 4.7 中國海外 (0688) 股價圖 (2018-2022)

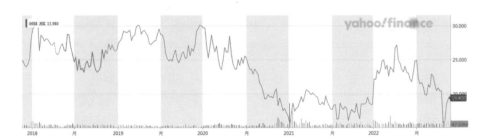

資料來源：YahooFinanceChart

事實上，中海每年的營業額和盈利都十分龐大，以2021年業績計，營業額是2,422億元人民幣（下同），盈利401.6億元，不是很多上市公司能及的。以盈利計，比起絕大部分香港公司為高，就算是上文提到的中海油和中電信，都不及中海呢！

唯一要挑剔的就是派息比率偏低，大約只有兩成半。但如果從樂觀的角度看，中海如果提高派息比率（絕對有能力），息率就不止現在的5.5厘了，雖然5.5厘已是不俗的息率水平。

不過，中海的股價於2022年第一季曾經大升三成，成為當時升幅最大的藍籌。如果大家能在20元以下買到中海，息率會是6厘以上，那就更好了。無論如何，如果大家不抗拒內房股的話，絕對可以趁每次調整收集中海，因為除了收息之外，她的股價還有較大上升空間呢！

4.3
嚴選收息股
業務穩定為上

上文推介的5+3退休收息股組合,某程度證明了她們的「抗疫力」。幾隻股票的業務性質大都屬於公用股,唯有領展的業務是收租股,但她是REITs,即是賺錢就必定要派息,某程度比公用股更可靠,而中海是內房老大哥,穩健程度及派息能力應該信得過。我也提及,中海油是收息第二梯隊首選。

「三桶油」、「三堆炭」?

最近有朋友Tommy問我,以內地市場為主的資源股其實都好高息,尤其是「三桶油」和「三堆炭」,其中除了中海油,可有退休收息之選?

市場上，「三桶油」一般就是指中石油（00857）、中石化（00386）和中海油（00883），而「三堆炭」就是中國神華（01088）、中煤能源（01898）和兗礦能源（01171）。經過疫情洗禮後，該等股票的股息率，最低都有9厘，最高甚至有12至13厘，高得令人難以置信（見表）。

圖表4.8　三桶油2022年中期業績和預期息率(人民幣)

	中石油 （00857）	中石化 （00386）	中海油 （00883）
營業額	16,146億元 +35%	15,822億元 +29%	2,024億元 +84%
稅後盈利	824億元 +55.3%	445億元 +10.5%	719億元 +116%
每股盈利	0.45元	0.367元	1.57元
每股派息	0.20258元	0.16元	0.7港元
預期息率	**10厘**	**12厘**	**12厘**

資料來源：經濟通

Tommy 以 WhatsApp 問我。

「現在疫情稍為受控，這些資源股最惡劣的日子應該過去吧，以現價買入，隻隻的息率都好吸引，買來收息可以嗎？」

「你可有留意聯合國氣候高峰會的新聞嗎？」

「大概知道，總的方向當然是減少使用較污染的能源，所以，煤炭股和石油股的前景好像有點不明朗。」

「你説得沒錯，煤炭和石油股都是『節能減排』要針對的行業，但我相信，在你有生之年，這兩大板塊仍然不會被淘汰！」

「這麼有信心？」

「看看氣候峰會的公告就知道，本來寫了要逐步淘汰煤炭的（Coal Phase-out），但最後也要改成逐步減少（Phase Down）才能獲得通過。再看我們的中國，早前承諾在2030年才達到碳排放的最高水平（碳達峰）。如果説到碳中和（排放量和透過植林或其他節能方式減排，變成零排放），更要等到2060年。由此可見，以我們這一代人來説（即是50歲以上的人），買這兩類資源股收息應該沒大問題。不過，買這類資源股收息也要小心部署的。」

「有甚麼要注意？」

只買最大的資源股收息

「過去我也憧憬過，內地經濟不斷發展，能源的消耗只會有增無減，所以，國企能源股不愁沒有生意，加上她們派息也算慷慨。因此，無論投資或收息也是不錯的選擇。但十多年下來，我發覺，這些國企能源股的業績仍大幅波動，主因是受到商品期貨的影響，能源價格本身就很波動。當價格上升時會賺很多，因為能源公司的成本大多都是固定的，但萬一價格下跌，雖然不至於蝕錢，但盈利也會大跌，派息也大受影響。我們選擇退休收息股，重要的不是要賺很多錢，而是賺錢的穩定性，背後就是希望公司可以穩定地派息。」

「嗯，那我是否要放棄買這類股票作退休收息之選呢？」

「我只會選最大型的能源股收息，因為經歷了過去十多年的市場變化，連疫情也經歷了，這些公司仍有不俗的派息能力，雖然難免減少派息，但很快也能恢復。在你心目中的幾隻股票中，我建議你在『三桶油』中選中海油，而『三堆炭』之中，我只推介你選最大的中國神華，因為其餘兩隻的規模都稍遜（見表）。」

「『三桶油』之中，為何選中海油？」

「中海油的業務簡單，絕大部分都是海上採油，令她的盈利對油價也是最敏感的。但2021年油價大跌她也沒有蝕錢，只是少賺了，派息減少，但油價回升，她的盈利又大升，預計派息也會相應增加。總之，她的派息政策較為清晰，我是較安心的。相反，中石油喜歡以特別股息去補償正常的派息不足。」

圖表4.9　三桶油和中國神華(01088)過去7年派息變化

年度	中石化 (00386)	中石油 (00857)	中海油 (00883)	中國神華 (01088)
2022 中期	0.16	0.20258	0.7	不派中期息
2021	0.16	0.1304	0.3 （另加 1.18元特別股息）	2.54
2020	0.2 (*0.07)	0.17484	0.45	1.81
2019	0.31	0.14366 (*0.03135)	0.73	1.26
2018	0.42	0.1788 (*0.0222)	0.70	0.88
2017	0.50	0.13 (*0.07394)	0.50	0.91
2016	0.249	0.05932 (*0.02)	0.35	2.97 (*2.51)

*指包含在內的特別股息
註：除中海油的股息單位為港元外，其餘為人民幣

資料來源：經濟通

港交所的派息率

我曾經跟一位部署退休的朋友Albert談起，討論港交所（00388）是否一隻可靠的收息股。「港交所是大藍籌，而且是獨市生意，加上管治水平一定無問題，因為她要以身作則，即是一定沒有古靈精怪，又或者欺壓小股東的事情吧，所以，我一直都持有，而且還想作為我退休時的一隻主要收息股。」Albert告訴我，他喜歡港交所的原因。

我告訴他，港交所無疑是一隻優質股，而且派息慷慨，每年幾乎都將所賺的錢派予股東，但由於她的股價一直偏高，所以，息率一般只得2.5%左右，一點也不吸引。

不過，Albert的平均買入價是240元，所以，他的息率回報大約是2.8%。我告訴他，如果他的平均買入價能夠再低一點，他的息率回報再提高一點，才可以在他的投資組合中稱得上為收息股。

「息率是股價和派息的關係，所以，如果想回報高，要不就是股價低，要不就是派息金額高。當然，如果股價低，派息金額又高，你的回報當然更高了。要做到這一點，就必定要對該收息股識於微時，即是當她的股價還未大升時，就已不斷收集！」

何謂跟港交所是「識於微時」？即是你在她仍處低位時，例如100元樓下就買入港交所，你的息率回報才算吸引（如真的以100元買入，你的息率就是6厘左右），如於2018年後才買入，息率只有兩厘多，真是「做糖唔甜，做醋唔酸」。

「除了要港交所『識於微時』，近10年亦有另一個好例子，那就是領展。」我預期計這例子會引起Albert的興趣，果然！

「領展是2005年上市的，即是大約15年前，當時的招股價是10.3元。我知道，有不少朋友在領展上市初期就買入收息。如果你的買入價真的是10.3元，以近年的派息計，息率高達26%呢！」

「嘩，這麼厲害？」

「對呀，這還不計股價在這10幾年升了最少5倍的回報呢！」

港交所業績十分波動

「嗯，那我是否要放棄買這類股票作退休收息之選呢？」Albert 實在關心港交所。

我跟 Albert 梳理，縱使港交所在香港是獨家經營，她的業績仍然十分波動。2008 年金融海嘯後，港交所的業績就曾經大幅回落，她沒有蝕錢，但賺少很多很多。大家要記住，就算港交所派息有多慷慨，最多只能派盡她所賺的錢。如果她賺少了，股息自然少派了。這樣的話，以她為退休收息之選，就直接影響你的退休生活了。

我列出過去 12 年港交所的派息比率表，大家可以集中看港交所的每股盈利和每股派息的變化。

圖表 4.10　港交所過去 15 年派息紀錄

年度	每股盈利（元）	每股派息（元）	派息比率（%）
2007	5.78	5.19	89.7
2008	4.78	4.29	89.7
2009	4.38	3.93	89.7
2010	4.68	4.20	89.7
2011	4.73	4.25	89.8
2012	3.75	3.31	88.2
2013	3.95	3.54	89.6
2014	4.44	3.98	89.6
2015	6.70	5.95	88.8
2016	4.76	4.25	89.3
2017	6.03	5.4	89.5
2018	7.5	6.71	89.4
2019	7.49	6.71	89.6
2020	9.11	8.17	89.7
2021	9.91	8.87	89.5
2022 中期	3.82	3.45	90.3

資料來源：經濟通

2007年的時候，港交所的每股派息是5.19元，但金融海嘯後，盈利大減，到了2012年，派息減至3.31元，即是比2007年的高峰期減少三成七。而且不要忘記，那幾年港交所的股價也跌了一大截，實在頗驚嚇的。結果，港交所要花了足足10年，年度派息才升逾2007年水平。

我想指出，我們食粥食飯就是靠這些股票的派息。愈穩定（最好是穩定向上）就愈好，愈波動就愈大風險。奈何港交所的收入和盈利完全靠「投資氣氛」，退休族相信已經承受不起大上大落的盈利、股價和派息吧！

地產及銀行股高息誘人？

有不少人士以一些實力不俗，而且高息的大藍籌為退休收息之選，我所指的就是長和（00001）、長實（01113）和恒生（00011）這類股票。

我想指出的是，即使恒生和長和系是大藍籌，但只要盈利受經濟環境影響而減少，她們絕對有可能減少派息。以恒生2022年的中期業績為例，她的每股盈利倒退了四成七，中期息（派季度息，即首季和第二季股息）也相應減少三成七。不少退休族認為，只要大藍籌的息率吸引也可考慮。

但我想提醒，如果是業務波動較大的公司，即使她們的息率很高，也未必是可靠的收息股。恒生就是最好的例子，她的經營完全受經濟環境影響。萬一盈利倒退（我不估計她會虧損），她便會減少派息，近年就是最好的例子。長和系的情況也如是。

長和、長實　非退休收息之選

香港人喻為「超人」的長和主席李嘉誠（誠哥）幾年前退休了，在過去78年的工作生涯中，誠哥最引以為傲的是創立了長江集團，以及為股東創造價值。他所指的價值是，當長江在1972年上市，直到他今年退休，股東每持有一股，回報高達1,500倍（當年上市招股價是3元）。如果收到長江的股息之後馬上買回長江（該公司沒有以股代息的安排），回報更高達5,000倍！

我計過，這個5,000倍的累積回報，等於每年複式回報20%左右，這個回報率實在不錯，媲美國際級的股神巴菲特的旗艦公司巴郡（Berkshire Hathaway）。不過，長江是地產公司，屬增長

股類別，這類公司的經營風險較高，盈利波動較大，不適合作為退休收息之用。

在長和系幾家公司之中，真正適合大家持有作退休收息的不是長和或長實集團，而是電能實業（00006）或長建（01038），因為後兩者都是業務穩定的公用類公司。更重要的是，這些公司的派息能力有保證，尤其是長建，我認為是大家的首選。

長建 1996 年上市，一開始已經由李澤鉅出任主席。當日上市的招股價是 12.65 元，單計股價回報，過去 26 年多，大約增長了兩倍。我認為，銀行、地產以至綜合企業，她們都不是可靠的收息股，真正可靠的收息股是業務穩定的公用類公司呢！

買煤氣退休 不如買恒地？

除誠哥年前退休，人稱四叔的恒基集團主席李兆基也退休了。我知道，朋友 Luke Sir（曾智華）其中一隻退休收息股就是四叔旗下的煤氣，他喜歡煤氣每年「十送一」紅股的安排，等於每年多了一成資產（假設股價不變）。其實，很多朋友也喜歡「紅股」這安排而買煤氣的。四叔是自 2006 年起，開始向煤氣股東送紅股，比例是十送一，當中只有 2008 年金融海嘯那一年及 2022 年沒有送。

除煤氣之外，四叔旗下的恒地也由2013年起開始送紅股，同樣是十送一，但兩家公司的派息是有分別的。

煤氣自從2002年起，全年派息一直維持在每股0.35元水平（中期息0.12元，末期息0.23元），沒有增長過，當中只有2011年曾派發0.175元特別股息，主要是慶祝煤氣成立150周年。但恒地過去幾年的股息卻有增長，由2010年的每股派一元，緩緩增至2018年的每股1.8元，股息每年有增長，可以抗通脹。

像煤氣那樣，如果單計派息，則息率一點也不吸引，如果不是2022年的股價大跌四成多，現價息率可能只有大約兩厘，而且派息沒有增長，如果想靠煤氣的股息收入來維持生活，大概追不上通脹。當然，如果等錢使，也可以減持股票套現！對的，因為每年增長一成的持股，是可以透過減持股票來增加收入的。如果你持有一萬股煤氣，每年就多了1,000股，剛好是一手，要沽出也方便。

理論上，一隻公用股每年都派紅股，長遠下去是無以為繼的，因為公用股之所以是公用股，正正因為她們的盈利欠缺增長動力。如果還不斷增發股票，每股盈利和每股派息只會不斷減少。所以，理論上，年年送紅股的，應該是一些增長股，而不是公用股。

結果，2019年起，煤氣先將十送一紅股改為二十送一，到了2021年，更索性取消派紅股。經歷這兩次「震盪」後，煤氣股價也無以為繼，股價由2019年的14元樓上，跌至2022年11月的

6元多，跌幅逾五成。但這麼一跌，令到煤氣的現價息率回升至5.5%之上，可以算是一隻及格的收息股了。

圖表4.11 中華煤氣(00003)過去幾年業績和派息紀錄(港元)

	2022 中期	2021	2020	2019	2018	2017
營業額（億）	297	535	409	406	391	325
稅後盈利（億）	33	50	60	70	93	82
每股盈利（元）	0.178	0.269	0.322	0.412	0.605	0.588
每股派息（元）	0.12	0.35	0.35	0.35	0.35	0.35

2017和2018年除派息外，還十送一紅股；2019年和2020年，紅股改為二十送一，2021年取消派紅股

資料來源：經濟通

沒有永遠的收息股

這世上沒有永遠的收息股，任何股票經過年月的洗禮之後，都有可能變質。我舉兩隻股票為例。第一隻是滙豐（00005），第二隻是電訊盈科（00008）。

滙豐在港上市多年，經歷過無數次考驗，證明公司的管理質素相當高，可以應付市場各種挑戰，甚至是早年的股王！殊不知，2008年引爆美國次按危機這個炸彈的就是滙豐。

我知道，香港很多投資者鍾情滙豐，以滙豐作為收息組合的核心。雖然金融海嘯後，滙豐刻意增加派息去留住股東的心。奈何，滙豐的股價卻不濟，近10多年長期低走，比高峰期的股價跌了一大半。

2008年的金融海嘯，令滙豐元氣大傷，到今時今日仍然未能復元。而且，滙豐年前突然宣布暫停派息，傷了絕大部分擁躉的心。這一役，儼如滙豐股東心中的一條刺，永不磨滅（除非滙豐能夠補償股東的損失）。

我有一位計劃退休的朋友Alan，他過去沒有買過滙豐，前幾日他問我，滙豐是否可以作為他的退休收息股的一分子。

「我觀察了滙豐的幾次業績，看她已經逐步回復正常，尤其是派息。雖然2020年宣布暫停派息，但她至今仍未試過一年是全年不派息的（2020年最後派了一次第四季的股息）。我覺得，她對股東都算不薄了。我是否可以在這個階段收集滙豐？」

「哈哈，你過去沒有買過滙豐，所以沒有任何包袱，現在眼見她逐步復元，所以想吼她？」

「你也可以這樣説，因為我翻查紀錄，如果她能夠恢復2019年前的派息水平，即全年派息0.51美元的話，現價息率可達9厘（滙豐過去幾年派息資料見附表）！」

「你説得對，滙豐已恢復派季度息，雖然比過去少，但息率水平也回復到5厘以上，算是一隻及格的收息股了。」

「正是呢！而且會愈來愈好吧！」

「理論上是的，而且，這一兩年環球處於加息周期，對滙豐的業績應該是利好的。但整體來說，銀行股不是可靠的收息股，因為她們的業務模式是先貸款出去，然後等客戶還錢。如果順風順水當然不錯，但如果經濟差，又或者客戶賴債，隨時蝕本的。你要買入，佔比也不應該太多呢！」

「嗯，你提醒了我，銀行業的經營風險確實很高呢！」

圖表4.12 滙豐過去幾年派息資料(美元)

	第一季	第二季	第三季	第四季	全年
2023	預計派，但少於0.1美元	預計派，但少於0.1美元	預計派，但少於0.1美元	預計派	?
2022	不派	0.09	預計不派	?	?
2021	不派	0.07	不派	0.18	0.25
2020	不派	不派	不派	0.15	0.15
2019	0.1	0.1	0.1	撤銷	0.30
2018	0.1	0.1	0.1	0.21	0.51
2017	0.1	0.1	0.1	0.21	0.51

資料來源：經濟通

另一隻是電訊盈科（00008），她的前身是香港電訊，以前人稱八號仔。香港電訊早年壟斷了香港的固網通訊，業務非常穩定，是一隻公認優質的公用股，與中電、港燈等齊名。

2000年科網熱潮時，李澤楷以蛇吞象的方式，以自己持有的盈科數碼動力收購香港電訊。結果，他成功了，並且注入互聯網相關的業務，但因收購初期負債過高，有好幾年不能派息，令到很多靠八號仔食息的股東，大失預算，也大失所望，股價也隨著科網潮爆破而長期向下。

各位，我提出上述兩隻股票，主要想大家明白，**千萬不要瞓身一隻收息股，而且，你要認真看待買入的收息股，幾年沒有派息的股票，可說是「無險可守」，宜及早沽之！**

盈富已不是優質收息股

有朋友問，何須做這麼多分析，又要找機會入市，其實，簡簡單單買盈富基金（02800）不是已經可以嗎？

我想趁機談一下我對盈富的看法。喜歡以盈富退休收息的朋友會認為，盈富基金是恒指藍籌股ETF（Exchange Traded Fund，即交易所買賣基金，也稱為指數基金），整體上已經穩陣，不用擔心買著滙豐這類忽然不派息的股票，因為即使滙豐不派息，也有其他恒指成分股。另外，盈富有專人管理，會適時剔出不濟的股票，加入有潛力的股票。因此，盈富基金長遠來說可以賺息又賺價。

我同意這個看法，只不過，近十多年，尤其2008年金融海嘯之後，盈富基金追蹤的恒生指數，表現實在令人失望。如果大家是在2007年的高位，大約30,000點買入盈富收息，過去十多年確實收了很多息，但股價卻每況愈下，計及所收的股息，可能是無賺無蝕，等於「揻本」來生活。

恒生指數表現不濟，很大程度是跟指數未能及時反映市況，已經大升的股票升到頂才加入恒指，加入之後從高位回落，這樣下去，指數只會浮浮沉沉。早前恒指服務公司公布，計劃將恒指成分股的數目，由當時的55隻，分階段增至100隻，即是未來幾年要將這個數目翻倍。

最大問題是，近年或預期會加入恒指成分股的，很多都是增長股，增長股的派息往往不及收息股，因此，盈富基金的息率一定會被「攤薄」。事實上，近兩年加入的成分股，很多都沒有派息，最明顯的例子就是科技龍頭的阿里巴巴（09988-SW）、美團（03690-W）、小米（01810-W）和京東（09618-SW）等等，嚴重地攤薄了盈富的息率。

本來，盈富的息率已經不吸引，過去較高的時候曾經去到4%，這兩年已跌至3%左右，甚至更低。下圖顯示最近10年盈富基金的派息，大家可以看到，最近幾年，盈富的派息也有減少的趨勢。

雖然盈富比起單一的收息股，一定更加穩陣，安全感更高（當然，如果與年金比較，我是會選年金的，因為她的安全感比盈富基金高）。因此，我會建議，當盈富基金的息率有3.5厘以上的時候（一是股價回落，令息率上升，又或是盈富本身增加派息，令息率上升），大家方考慮收集。

圖表4.13　盈富基金(02800)過去11年派息資料(年份/港元)

2022	2021	2020	2019	2018	2017
0.64	0.67	0.75	0.93	0.95	0.93

2016	2015	2014	2013	2012
0.88	0.81	0.84	0.73	0.66

資料來源：經濟通

股神之股　非退休族那杯茶

朋友 Raymond 去年起退休，開始買一些收息股，在他退休前已經聽過股神的大名。退休之後他多了時間研究投資，他就上網看了一下巴郡這隻股票，發現每股竟然接近 50 萬美元，簡直把他嚇壞。但他找極也找不到巴郡的派息資料，我跟他說，由巴菲特打骰的投資旗艦巴郡公司，自從 1964 年上市至今，從來都不派息。他對這隻「神股」更加好奇。

「巴郡的股票價格，真的是 40 幾 50 萬美元一股嗎？那還有投資者買入？」

「是的，以 2022 年 5 月 31 日的收市價計，是 47.405 萬美元一股，其實，她近年高位是 54.4389 萬美元一股呢！」

「那豈不是要 370 多萬港元一股？真的是天價呢！即使美股是一股一股的買，但這隻股票仍然是全世界入場門檻最高的股票！很多人都『買不起』這隻股票吧！」

「相信是的,我提一句,巴郡的股票有分AB股的,你說的是A股,而巴郡的B股,股價不過315美元一股左右!正因股神不想把巴郡的股票拆細,所以就衍生了B股。」

「是嗎?願聞其詳。」

「股神一直堅持不將巴郡的股價拆細,去遷就小投資者,但卻願意照顧長期擁躉,因為如果每股股價升至幾十萬美元,單賣 股就等於套現幾十萬美元。如果投資者只想套現幾萬美元,那就沒有辦法了。因此,1996年時,股神發行巴郡的B股。最初,每30份B股就等於一份A股,即是等於將A股一拆30。由於2010年時巴郡要以發行新股方式人股一家公司,因此,將B股再拆細,這次是一拆50。兩次加起來,現時每股巴郡的A股,等於1,500股巴郡的B股。」

「原來如此!」

「第二次拆細時，每股巴郡的B股大約是70美元。現時巴郡的B股大約升至315美元，即是12年間升了接近5倍，也算不俗的投資了！不過，股神的股票不適合你這些退休人士，除了門檻高之外，也不派息呢！」

「啊，股神的巴郡公司真的不派息嗎？照道理，他這類傳統人士，應該著重派息才對呢！」

股神寧回購也不派息

「理由很簡單，他認為，股東的資金放在他手上，賺到的回報會比派了給股東為高，所以，他不想派息。」

「嗯，聽上去也是有道理的，但我始終接受不到。」

「我也同意，因為股神自己買的股票，很多都有派息的，就以他買的唯一一隻科技股蘋果公司為例，近年也開始派息了。不過，我可以告訴你，股神不喜歡袋了這些派息，而是把股息收益用來增持蘋果。」

「哈哈，他真的看好蘋果？」

「應該是的，因為蘋果是近年他的投資之中，回報最高的一隻。」

「這樣我就寧願買蘋果也不會買股神的巴郡了。」

「不過，近年股神也放鬆口風，經常說，如果他的公司未能在合理時間內分配好手上的近千億美元現金，不排除會派息或回購股份。但他始終傾向回購，而不是直接派息給股東。」

「回購？」

我「是的，近年很多大公司喜歡以此提高股東回報和刺激股價。股份回購（Share Buyback）是指用公司資金，在市場購入公司股票，然後注銷。你可以想像，即使盈利和派息都沒有增長，如股份數目減少，那每股盈利和每股派息仍會增長，最終也會令股東得益。」

R「原來如此，但股神這隻股票，肯定不是我杯茶！」

每周看一次走勢

巴菲特旗下的神股不派息，你未必想買，但股神名言你一定要聽：買股票，無論你買了多少，最好當自己是該公司的老闆。 這點非常重要，即使我們不能真正影響公司的日常運作，但本著自己就是這家公司的老闆，用這種心態去分析和評估該公司的業務，你就會很上心。

不過，最好也跟你買的收息股「保持適當距離」，不要無時無刻盯著她們，最佳距離是每星期看一次走勢。如果發現該股票不尋常地波動，便去找出原因。如果涉及基本因素變化，才去評估一下應否改變投資策略。

當然，大家還應該每季或至少每半年閱讀一下公司的財務報表，了解一下公司的營運狀況，並留意該行業的最新變化，最好比較一下同類公司同一個財政年度的業績表現，看看你買的公司，跟其他同類公司有甚麼不同的地方。

祝願大家能夠在退休前已經累積到足夠的收息股，如果能夠在低位買入，就算將來公司的基本因素出現變化，也較容易處理。

退休遇著大跌市，怎麼辦？

股票是一種很弔詭的投資工具，當升市的時候，貴 貴都有人買；但當跌市的時候，則平 平都沒有人吼，市況轉好隨即吸引投資者入市。這似乎是個循環不息，周而復始的魔咒！遇著「大牛市」或者「大跌市」，只是一線之差，因為伴隨大牛市的，往往就是股災。

天有不測之風雲，如果你即將退休，遇上港股「閃崩」，怎麼辦？我的「三合一退休方案」中，三分一是收息股。雖說是穩健收息股，但股票始終是股票，難免要承受大跌市之痛！那麼，我們如何自處呢？

首先，作為退休收息的股票，一般是大藍籌，大部分屬公用類企業，這類股票的業務不太受經濟循環影響，盈利有保證，應該可以繼續派息。跌市之下，已有巨大升幅的股票，哪管是否大藍籌，股價都跟隨大市下跌，而且跌幅比大市還要多。但公用類的股票，跌幅明顯比大市低，個別公用股更會逆市上升。因此，即使面對大跌市，大家其實也不用太擔心。

我不贊成投資者「估市」，更何況是退休人士？！我認為，投資方法應該按著自己的需要而行。退休族更不宜按當時的市況判斷，而應按自己的情況，把大部分風險資產轉到低風險類別。

何謂低風險資產？只要大家投資股票，就必須面對兩種風險，一種是「系統風險」，例如觸發近期跌市的元凶，即美國加息幅度和速度比預期快。只要你投資，尤其是買股票，就必須承受這些風險。這些風險會導致整體投資市場向下。還有另一個「非系統風險」，意思是個別投資項目微觀因素導致的風險，以股票為例，就是其經營和管理風險等等。

投資股票一定要冒風險，至少要冒「系統風險」，但我們仍然想研究，怎樣冒最低風險，賺最高回報。結果，得出的結論就是分散投資，而分散投資的精髓是買入相關系數很低的投資工具。我建議的「三合一退休方案」，年金、收息股、定息工具，正好可以互補長短，也是基於這個理念。

雖然説，今時今日的投資市場，要找完全不相關的投資工具十分困難，但我們仍應朝這個方向去分配我們的資產呢！

第五章

三合一退優篇

「食息族」如何
選定息工具？

5.1
iBond 加銀債
好 Bond 唔夠派

我建議的「三合一」退休方案中，第三種投資工具為定息資產（首兩項資產可以是年金、收息股，或以逆按揭/收租物業代替其中一項）。退休人士就是「食息一族」，最好不要冒風險，可以用定息工具穩賺平均4厘以上回報。

在高息年代，單是銀行存款的利息可能已足夠，毋須再選哪種定息工具。奈何過去十幾年是低息周期，存款利息接近零，所有穩健的定息工具，回報十分低；回報稍高的定息工具（如企業債券），都必須冒一點風險，不大切合退休人士需要，令到我們要多番盤算，才可實現每月穩袋利息的收入。

幸好，香港政府近年發行iBond（即通脹掛鈎債券）及銀色債券（只供60歲以上人士認購的iBond，簡稱銀債），令退休人士有

更可靠的定息資產工具可供選擇，算是一大德政，只是可供認購的金額仍然不大，未必可滿足市場需求。

內房企業債地雷重重

近年，聽到一些朋友買了中國恒大（03333，下稱恒大）的企業債。我知道，除了銀行有推銷這些內房債之外，也有證券行向客戶推介內房債，賣點是這些債券的孳息率頗高。

那位買了恒大企業債的朋友 Terence，債券 2025 年到期，回憶恒大違約前夕的心情。

「當初也不知道風險這麼高，那時想賣掉它，但原來也不易賣，差價要很大才可以脫手呢！」

「那麼，你有認購銀債嗎？」Terence 已經 60 歲，也是銀債的發行對象。

「沒有呀，明知分不到很多，太沒意思了。」

iBond 銀債　未滿足市場需求

這個情況令我想到，一些較高風險的債券，至少也要買 20 萬美元，但像銀債這樣的「絕世好 Bond」，2022 年時最多只能分到 21 萬港元，實在不成比例。據我所知，很多有實力的銀髮族也有這個想法：不能分到很多銀債才不去認購，而去買風險較高的企業債，尤其是內房的債券，這絕對是「錯配」的。

對於大部分退休中產來說，銀債的保證息率是 3.5 厘（2021 年發行的第六批銀債），比 iBond 的兩厘高 1.5 厘，而比銀行存款的接近零息，更是高了 3 厘多，簡直超吸引！

只不過，根據經驗，你也不能預期分到太多，近年的銀債，反應愈來愈好，結果，每人最多也只能分到 14 手，即 14 萬元。對很多只懂存錢放在銀行做活期或定期戶口的退休人士，撥 14 萬出來買銀債，只屬身家的小部分。

如果只分到這個手數，以 2021 年保證利息是 3.5 厘計，全年利息約 4,900 元，即每月 400 元左右！以這個金額計，只夠支付閣下每月的水電費。如果特別慳家

的話，或許還夠支付煤氣費，僅此而已！對於保障退休生活，就完全談不上呢！

如果你也抽了 iBond，估計你會分到 3 手，銀債最終也分到十三四手，兩者加起來，勉強接近 17 手，即大約 17 萬元，平均息率大約 3 厘，在低息的年代中，算是不錯了，因為這幾乎是無風險的投資嘛！如果你想增加分配手數，唯一方法就是出動全家的長者了。但理論上，比你年長的長者，也有理財需要的，所以，你也不能剝奪了他們的配額呢！

幸好，當局於 2022 年的銀債發行量又再加碼，由 2021 年初步的 240 億，最終 300 億，增至今年的初步 350 億，最終可達 450 億。但不要忘記，2021 年的總認購額是 678 億多元，即使 450 億仍然未夠分派，遑論分多一點？！

我估計，大家最多分到 15 至 20 萬的銀債，以今年的保證息率 4 厘計，即使獲配最高的手數，全年利息就是 6,000 至 8,000 元左右，當然已比過去好，但仍然「唔夠喉」。

即使如此，各位老友記也值得參與這個銀債「人抽獎」，因為即使進入加息周期，要找一個 3 年至少 4 厘的定息工具似乎不容易呢！

圖表5.1　各批銀色債券保證息率和認購反應

發行 年份	保證 利率 （厘）	有效 申請 （萬宗）	有效認 購金額 （億）	發行額 （億）	超額 認購 （倍）	最多 獲配 手數 *
2016	2	7.6	89	30	2	5
2017	2	4.48	42	30	0.4	10
2018	3	4.5	62	30	1.07	8
2019	3	5.6	79	30	1.63	6
2020	3.5	13.52	432	100#	4.32	14
2021**	3.5	25.68	678.6	240##	1.83	14
2022**	4	28.96	624.6	350###	0.79	21

* 每手1萬元
**60歲或以上可認購
\# 最終發行額150億元
\## 最終發行額300億元
\### 最終發行額450億元

**圖表 5.2　過去 7 批 iBond 認購反應和最終分配結果
(億港元，每手 1 萬元)**

	最終發行額（億）	認購人數（萬）	認購總額（億）	保證息率（%）	最多獲配手數
2011	100	15.6	131.6	1	2
2012	100	33.3	498.4	1	4
2013	100	52.0	396.3	1	2
2014	100	48.8	287.9	1	3
2015	100	59.8	357.2	1	2
2016	100	50.8	225.3	1	3
2020	150	45.6	383.6	2	4
2021	200	70.9	539.5	2	3

最終 2022 年的銀色債券反應也算熱烈，合共有接近 29 萬人認購，比去年大約多了一成二，但總認購金額卻比去年稍低，估計大部分人認購 20 萬或以下。結果，認購 20 萬（20 手）或以下的投資者，可以獲得全數分配（最多可以抽多一手，即合共 21 萬），比 2021 年的 13 萬為多。

銀債年期短　僅3年

有朋友問我，既然銀債年年都發行，即使每次只分得十幾萬，過幾年便可以累積到幾十萬，甚至過百萬，那應該有點意思吧！這些朋友似乎忽略了，銀債的年期很短，只有3年，在國際市場中，這屬於短期債券。

如果用這個思維推算，每年手上最多也只可以持有40萬左右的銀債，我認為仍然偏少。我自己的想法是，最好每次能保證分到50萬，這樣3年下來，便可以累積到150萬。

因此，我呼籲政府未來推出更多銀債供銀髮族認購，或考慮推出較長年期（如5至10年期）的銀債。我認為，每人最多能獲配100萬銀債是最理想的金額，如果真的可以成事，那就真的是「好Bond獻給你」了！

退一步說，若銀債認購額提高至50萬，3年來累積150萬銀債，又如果都有4厘息左右的話，每月即有5,000元利息收入，這就對每月現金流有點意思，那麼，銀債就可以成為退休人士主力的定息工具了。

5.2
企業債 vs 債券基金

近年最令投資者擔憂的內房股，非中國恒大莫屬，事緣內地廣發銀行凍結了恒大在江蘇省宜興市一家附屬公司的銀行帳戶，此舉令人對恒大的財政再度產生疑慮，恒大股價不但由 2017 年的歷史高位 30 元大挫至兩元以下，2022 年 3 月便一直停牌。

這還不止，今次事件牽連了香港的置業者。話說恒大在香港有 3 個發展中物業，當中一個已經交樓，另外兩個仍處於樓花期，部分銀行暫時不接受恒大的樓花按揭申請，令到個別業主十分彷徨。

單一企業債風險高

就在這時，我有位退休朋友 Edmond 問我，他的私人銀行客戶經理向他推銷一隻由佳兆業（01638）發行的一年期短債，孳息率高逾 8.65 厘，問我這是否好的定息投資？

「逾 8% 的利息很吸引呢，而且這是一年期的債券，我知道內房債券是有點風險，但這隻債券只有一年期，照計一年內出事的機會不大吧！」

「嗯，但我不建議你買，即使短至只有一年。」

「是嗎？我想再問一下，如果一年內沒事發生，我已經可以取回本金，然後再收到 8.65% 的利息？」

「你給我看的資料是『孳息率』8.65%，即是實際的票面利息不是 8.65%，只因你可能用『折扣價』買入，所以令到總回報高達 8.65% 而已！你的入場門檻是多少？」

「20萬美元！」

「大多數零售的企業債都是這個門檻，但買企業債，你要清楚風險所在。」

「客戶經理告訴我，這債券評級是一個B，是高還是低？他說未來3年的前景展望是穩定的。」

「單一個B的債務評級，那不算投資級別的債券，因為至少要BBB的債券才算穩健，屬於投資級別。其餘都稱為非投資級別，甚至被稱為『垃圾債券』！」

「啊，好像很驚嚇！難道退休人士就沒有優質的債券可以買？」

「當然有，那就是銀色債券，因為保證息率是3.5%（2022年以前發行的銀債）！」

「但這個一年期債券的回報是8.65%，兩者相差很遠呢！」

 「但兩者的風險也相差很遠！如果你要買這些高息的債券收息，我建議你轉為投資高息債的債券基金吧！至少當中一兩隻債券出事，也不會令你Total Loss呢！」

派息基金　新生收息工具

作為小投資者，直接買企業債收息的最大問題是入場門檻高，動輒過百萬以上才可以買到。門檻高又衍生另一個問題，正因為小投資者的「老本」有限，如果勉強入手，卻冒上太集中的風險，萬一該債券出事，「老本」全賠上了！我認為，這種風險不值得冒。

近年市場頗流行的「派息基金」，可說是中間落墨的一種選擇。早前和即將退休的朋友 Albert 見面，問及派息基金作為收息工具的優劣。

Albert 今年底便退休，正開始策劃資產分配。

 「有朋友說，可以買些派息基金作為收息工具，我過去很少接觸這些產品，到底風險高不高？」

 「你有沒有買過基金？」

 「很多年前買過，但不知道是不是派息基金。」

「如果十幾年前買的，我估計不是派息基金居多。早年基金公司推出的基金，主要都是『累積類別』。首先，假設某隻基金是買股票和債券兩種資產，即所謂的混合資產，而兩種資產都收到股息／利息。早年的『累積類別』的基金經理，會將收到的股息／利息計入基金的價值上，等於基金持有更多現金，基金價格也會即時反映！然後，基金經理會再運用這些現金，買入更多股票或債券，讓基金資產再增值。」

「嗯，你這個解説很清晰。」

「但隨著十幾年前開始，環球都處於低息環境，市場缺乏相對高息的投資工具，所以，開始有基金公司將旗下基金，加一個『派息』類別。由那時開始，退休人士或策劃退休人士，就多了一種收息工具了。」

「這是不是等於股票的派息？所謂派息基金，到底派多少息，即是有幾個％？」

「一樣！股票是單一隻的派息，派息基金就是一籃子的股票派息。但要注意，不要只看她的派息率。現時市場上的派息基金，息率介乎4至8厘之間。」聽到我這樣說，Albert馬上瞪大雙眼。

派高息的兩面刃

「4至8厘？相當不錯呢！現在存款利息還不到一厘呀！」

「但你必須明白，不是愈高息就愈好！」

「那為何這些基金可以派這麼高息，有風險嗎？」

「回報高，風險自然高，問題是你是否可以承受該風險。其實，大部分派息類基金，都是債券基金，又或是股票和債券的混合資產基金，較少純股票基金，一來股票的派息比較不穩定，波幅也較大。至於純債券基金，息率高低視乎該基金持有甚麼類型債券。如果持有已發展國家的國債，包括美國、日本和歐洲，息率高極有限。因此，派息基金多是近年頗流行的高息債基金。」

「高息債？高息代表高風險喎！」

「我用另一名詞來表達，你可能更擔心，高息債即是垃圾債券！再用另一個名詞，你卻會安心些，那是非投資級別債券。先解釋一下，專業投資者決定是否買某一隻債券時，會參考她的信貸評級，其中標普的AAA評級，是信貸評級之中最高級別。如果屬AAA級的發債機構，她們所發的債不會有太高的利息。（AAA之下是AA，當中還會細分為AA＋、AA和AA-，其他級別也如是，然後是A，再之下是BBB）在投資市場中，如果是評級為BBB以下，即只有BB或更低級別的債券，都一律稱為『非投資級別債券』/『垃圾債券』/Junk Bond！」

「為甚麼基金經理要買這些『垃圾債券』？」

「就是因為高息囉！雖然這些債券屬『非投資級別』，但大部分都不會違約。投資者專挑這些債券來買，正因其利息（回報）較高，部分可達年息8%或以上。當然，投資這類債券要有一定的策略和專業知識，我們小投資者做不來，不過，透過債券基金去買這些高收益的債券，其實又未嘗不可！」

派息基金 真的財「息」兼收？

整體來說，如果是派8至9厘息的基金，基金價格的波幅會較大。

「唉，買這些派高息的債券基金，有沒有機會『財息兼收』呢？」Albert也想到本金的問題，但他明顯較為樂觀。

「哈哈，我不少朋友卻這樣問：『會不會賺了利息，但蝕了本金呢？』。買派息基金，你應該有心理準備，不一定能夠『財息兼收』！，因為基金價格始終有波動。如果能賺到價，就當做Bonus（額外回報），無賺也是正常的，因為基金每個月都派息，價格會『除淨』。而且，派了息就等於本金少了，相比之前的『累積』型基金，升幅會較小。當然，也不一定會賺息蝕價。總之，你的心態應是，盡量保存本金，目標是收息。」

「如果我在高位入市，遇上股災，會不會價蝕了，連派息也沒有？」

「派息基金不保證一定派息，但它是一籃子的股票或債券，即使其個別項目不派息，應該不會令整個基金不派息，只是派息暫時會減少。買入派息基金應做些管理。如果買入該基金之後價格持續上升，最好適當減持一些，令本金回復至你買入時的水平（專業說法叫Rebalancing）。日後價格下跌時，再把套現的錢買回，那麼，你就可以收更多息了。」

「但萬一買入之後持續下跌，又應該怎做？」

「我會建議，如果在市況暢旺，或基金價格偏高時入市，可以考慮以一個組合形式去買，例如一半買入低風險/較低息的基金，另一半買入派高息的基金。萬一買入高息基金後，價格下跌，你便換馬，從低息的基金轉買這些高息的基金，等於趁低吸納。只要這些基金能夠持續派息，你可以不用理會，直到價格升越你的買入價，就可以再考慮Rebalancing。這樣，你就能在相對低風險地收息，而這部分佔你退休收入的三分一，這樣才安全呢！」

5.3
ELN 是收息資產？

有讀者問我，退休之後是否適合買 ELN（Equity Linked Note、股票掛鈎票據）這類金融產品？我認為，退休後將部分資金買 ELN 也無不可，但必須以收息的心態，加上不介意或有能力接掛鈎的股票便可。當然，最重要是你選擇哪隻股票去掛鈎。

沽出認沽期權

首先，何謂 ELN？買入 ELN，背後是沽出了一份跟某股票掛鈎的認沽期權，所以可以收到一筆期權金，即銀行常叫的「利息」。認沽期權指買者看淡後市，但賣者是「沽出認沽期權」（Short Put），就是預計大市跌極有限，即某程度看好後市（負負得正）。只要在到期日時，相關股票的股價，不低於議定好的行使價，你便可以將該筆「利息」袋袋平安！

有一點很重要，如果到期日時，掛鈎的股票只稍為高於議定好的行使價，你已賺到所謂的「高息」，不需要該股票大升。相反，若低於議定的行使價，你就必須以行使價買入該股票，即要接貨了。

另外，「利息」的高低取決於該掛鈎股票的波幅。升跌幅度愈大的股票，你收到的「利息」就愈高，有機會逾10厘，反之則5厘左右。但要留意一點，近年在零售銀行所賣的ELN，都有一個提早贖回價（Call Back），即本來這份ELN的年期是半年，在一個月後任何一日（一般都至少收一個月利息），只要該掛鈎股票的股價升破該贖回價，這份合約便會即時終止。我以騰訊（00700）為例，以一個假設的條款來說明：

▶ 騰訊ELN操作例子

- 騰訊今日的收市價：280元
- 買入ELN：20萬；行使價85%；年期6個月；贖回價是105%
- 到期日：騰訊的股價低於238元（**280 x 0.85**），即低於行使價：你就要以238元的價錢買入騰訊（用20萬去除238元得出買入的股數，不用經紀佣金）。

不過，如果一個月後任何一日收市時（首一個月不設贖回，即是可以穩收一個月利息），騰訊的股價升至294元（**280 x 1.05**），該ELN就會馬上終止，銀行會退回你的20萬本金，以及付你所得的個多月利息！

深入認識ELN條款

ELN的贖回價，一般稍高於掛鈎股票當日的價格，例如105%，有時卻會是100%，甚至再低一點的。換句話說，如果你掛鈎的股票繼續升，一個月後，你這份ELN肯定會被贖回，那你就要再找另一隻股票去掛，或再掛同一隻股票，但由於股價不同，新ELN的接貨價或贖回價就不同了。

近年的 ELN 也多了一個「氣墊價」（Airbag），這個價會比行使價再低一些，例如行使價是 85%，氣墊價可能是 75%。意思是你掛鈎的股票，到期日時要跌至 75% 才需要接貨，不過仍以行使價計算接貨價格。

心水清的朋友會想到，如果出現這種情況，你買入股票的價格，會再高於當時的市價，形勢上對你不利的，但不要忘記，這屬於極端情況。而且，也不是所有 ELN 都有「氣墊價」，不喜歡的朋友可以選擇沒有此安排的 ELN。

要記住，所有這些條款的變化，都會影響你收的「利息」。舉例說，如果其餘條款相同，一份接貨價是 85% 的 ELN，「利息」會比一份接貨價 75% 的 ELN 高，因為 75% 的 ELN，接貨機會比 85% 低！這個很易理解吧！

另外，今時流行的 ELN，最普遍的年期是 6 個月，當然也有 3 個月，或一年，但始終不及 6 個月的普遍。

還有一點要提提，近年最流行的 ELN，是掛鈎兩隻股票的。掛兩隻的話，自然兩隻股票都有行使價（即接貨價）、贖回價和氣墊

價（如有的話）。簡單來説，掛一隻和掛兩隻的分別是：計贖回時，要兩隻股都升破贖回價才會贖回；但計接貨時，即期滿日，則只要其中一隻跌破行使價都要接貨。如果兩隻股票都跌破行使價，則要接表現較差的一隻（只會接一隻股票的）。

ELN是結構性產品（Structured Products），即衍生工具（Derivatives）的一種。一般來説，衍生工具比正股的風險高一些，但ELN的風險程度，甚至比股票還要低一些，因為它最大風險就是在低位「接了股票」。

問題是，如果這些股票你是願意接貨的，接貨之後又有息收，那麼，情況也不是太壞吧！當然，接貨後如果股價再跌，你帳面上肯定是蝕錢的。但不要忘記，如果當日你買入該正股，可能蝕更多呢！因為ELN的接貨價肯定比你做ELN當日，該正股的股價要低。

退休後ELN只掛收息股

現在談談退休後所做ELN的「選股之道」。首先，賺「息」是主要目的，盡量不要接貨。因此，我們不應選波幅太大的股票去掛。試想想，如果每次你都要接貨，那會綁住你的流動資金。如果市況偏弱，你可能要等一段長時間才能「鬆綁」。

有得揀的話，也最好選比較「價外」的ELN，所謂的「價外」，即是較偏離現價的行使價，例如你選擇的股票現價是10元，如果

有9元或8元兩個行使價選擇的話，你最好選擇8元。當然，距現價愈遠的行使價，「利息」會愈低，原因是接貨機會較低。

另外，選年期較短的ELN。 早年推出的ELN，大多是3個月期，後來增加選擇，有些是掛一年，甚至更長的。總的來說，我會建議選年期較短的，最好是半年之內，當然，年期較短，「利息」也會低一點。

最後，我強烈建議掛一些有息派的股票。 因為萬一要接貨，也可以繼續收息。收息的股票，防守性始終較強。

退休收息股之選，上一章已有詳論，如果買入的ELN可以掛中移動、領展，或是港鐵（00066）等較好。至於近年推出的ELN，多是掛當紅的科技股/增長股，例如騰訊（00700）、阿里巴巴（09988-SW）、美團點評（03690-W）、京東（09618-S）和小米（01810-W）等等，我認為，退休人士都是少沾手為妙。

中移動 ELN 年息 15%？

但如果只以有限的資金，以及以高息股為主要對象，兼有心理準備可能要以「高價」買入掛鈎股票的話，買一些像ELN那樣相對

簡單的「衍生工具」也是可以的。再提提，掛鈎低波幅的股票，那你收到的「利息」不會很高。

以一些ELN為例，一向波幅較大的港交所（00388），一個月期，行使價91%（即是當港交所股價在到期日時低於現價的91%的話，你就要接貨），年息率可高達17.35%。

另一隻股息不俗的長和（00001）為例，同一樣的條款，年息率是10.15%。如果以我推介的退休收息股——中移動為例，同樣是一個月期，行使價91%，年息率約為15.16%，相當不錯呢！當然，近期中移動的波幅擴大了，所以才出現15%年息率的一個月ELN。

要留意，就算是相同的股票，在不同市況下，其息率可能不同。如在大升市或大跌市時，大部分股票的波幅都會擴大，因此ELN「息率」都會上升。相反，如果你是在牛皮市時買入ELN，大部分「息率」都會下跌，因為這時的股票波幅都收窄了！

再補充一點，投資ELN是很微妙的事，當股市波幅擴大時，「息率」會提高，但接貨機會增加；但如果股市牛皮或波幅收窄時，「息率」會下跌，但接貨機會減少，可以長做長有，兩者各有好處。**但我始終認為，退休人士應該迴避高波幅／高風險，所以建議在牛皮市時才做ELN，以免在大跌市擔驚受怕，令健康受損，就得不償失了！**

第六章

保險篇

醫保永不嫌遲

6.1
人生最大幸福
規劃最後一程

中國人的智慧真的高深莫測，而對世情的洞悉也實在通透，不是嗎？我細細個的時候，就已經聽過一些長輩罵人時說：「你做埋咁多陰騭事，因住收尾嗰兩年！」又或者「你做埋咁多陰騭事，因住不得好死！」

當時我不太明白當中的意思，但這些說話卻深深印在我的腦海中。當人到中年時，就逐漸領會到這些說話是「何等惡毒」！原來，人生最大的幸福其實是「好死」！

換一個角度，即使你前半生叱咤風雲、富甲一方、妻賢子孝、兒

孫滿堂，都不是最幸福的事，萬一年老時百病叢生，長期受疾病煎熬，經受百般痛苦才走完人生最後一程，這是何等的悲慘呢！（我也是因為擔心自己不得好死，所以也不敢做壞事呢！）

人生真正的幸福是自己的最後一程，能夠舒舒服服，沒有太大痛苦，也不連累家人。我自己也愈發覺得，「好生」不如「好死」，「好死」才是人生的最大追求！

長期病折磨損尊嚴

過去幾年，自己的長輩或身邊的朋友一個接一個離世，眼見有些人的最後一程過得相對舒服，但也有不少是受盡折磨、甚至喪失尊嚴，才深深感受到「好死」的重要性。所以，以前中國人見到有人做了一些喪盡天良的事，但又無法從合法途徑將他繩之於法時，就唯有懇求上天，讓他「不得好死」！

但我們怎樣才可以做到「好死」呢？當然，這沒有百分百保證，但可用兩個字來說明，那就是「養生」，以避免自己年老時患上一些慢性疾病，或令你痛不欲生的疾病。

老實說，我也不是這方面的專家，也沒有很高的修為，所以我未必可以繼續就這個課題發揮下去，或跟大家分享。但從退休策劃的角度，退休後的「健康策劃」也十分重要，也可以算是退休策劃的一部分。因為沒有健康，所有退休規劃都是徒然的。

213

生老病死，既是人生必經階段，這其實是可以預計的，只要大家規劃好，就不會因為突如其來的開支，影響你的退休生活了！弔詭的是，退休後最難預算且開支又是最大的，就是住屋和醫療費用。

買醫保　突發支出變經常開支

不錯，年輕時醫療開支可能很少，但年紀愈大，開支便愈多，例如傷風感冒也可能多了，因此，我們必須預留多點支出用於看病。

但醫療開支當中，除了門診可以當作日常開支外，如果是住院或危疾，牽涉的費用可以十分驚人，如果完全靠自己的儲備應付，恐怕有機會影響整個退休預算。因此，作為財務策劃師，我會建議大家以醫療保險去應付。

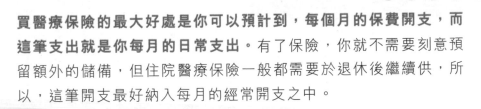

買醫療保險的最大好處是你可以預計到，每個月的保費開支，而這筆支出就是你每月的日常支出。有了保險，你就不需要刻意預留額外的儲備，但住院醫療保險一般都需要於退休後繼續供，所以，這筆開支最好納入每月的經常開支之中。

或許有人會説，如果有病，就幫襯公營醫療吧！我同意，如果是大病或急病，政府醫院確實幫到你，但如果開始時不是急病，政府醫院就未必幫到你了（但小病可以變成大病）！事實上，政府也鼓勵市民購買醫療保險，當有病的時候，不一定要靠公營醫療，而可以選擇私營醫療。即是説，有了醫療保險，有病的時候，就多一個選擇。

等公院恐小病變大病

談過理性的角度，我想再從感性角度説明一下，退休之後有份醫療保險的重要性。

大家或許有過這樣的經驗，就是自己的親人有病時，全家上下都會想去協助，當然包括財政上的協助，但這樣可能會影響家人的其他計劃。我有一位朋友，為了替母親治病，總共花了接近300萬元，把以前做生意賺到的錢差不多花光了，甚至影響了自己的退休計劃！

我另一位朋友，父親不到60歲，突然發現患上癌病，雖然父親主要倚賴公營醫療，但日常開支也隨之大增，包括聘請女傭、賞補品等，幸好我這位朋友早年替父親買了一份幾十萬保額的危疾保險。結果，這筆錢發揮了重要作用，大大減輕他的負擔。

我的另一位朋友，話説他的父親當年病重，連醫生都認為時日無多，他也認為不值得再花錢去治療父親，但當父親過世後，母親卻埋怨他和其他兄弟，當初為了省錢而沒有盡力治療父親！他才想到，如果早年替父母買一份醫療保險，子女便不用擔心花一大筆錢，更免卻「醫」還是「不醫」的兩難局面。

凡此種種，都印證我們退休時，應該有份醫療保險。

退休才買醫保不划算？不！

不過，如果你一直沒有買醫療保險，又沒有子女替你在退休前買，當自己退休時才買又是否划算呢？我的長輩中，很多都有一個謬誤，認為年紀這麼大，保費一定很貴，所以是無著數的。莫先生就抱有這種觀念，他和太太剛過了60歲，兩人月前正式退休，沒有子女，拿著一筆退休金，開始策劃退休的生活。

早前我跟他談起退休之後的醫療問題時，才發覺他和太太都只有一份很細額的人壽保險，主要是讓配偶替自己處理身後事之用。至於更值得買的醫療和危疾保險，他們年輕時沒有買，當年紀愈大，保費愈貴時，就更加不想買。幸好，他告訴我，他和太太到現在都沒有因大病住過醫院，簡單來説，就是還未有病歷。

我告訴他，那就要趁自己健康未出問題的時候，盡快買一份危疾和醫療保險。

「到了我們這個年紀才買保險，價錢豈不是很貴！？」

「這樣説吧，只要能夠發揮到少許保險的作用，我認為仍然值得買。」

「簡單來説就是槓桿作用！」看莫先生不明白，我繼續解釋。

217

保費按年齡每年調整

 我
「這樣說吧，如果不買保險，有病的時候，就等於自己保自己，因為你存在銀行的錢，有多少就只能用多少！但如果有保險的話，你付出的保費，哪怕只能讓你的錢擴大一倍，也是值得的。

先說醫療保險，其實它是按歲數每年調整保費的，又沒有儲蓄成分，用內地術語，是所謂消費性的。**即是說，一位60歲的投保人，無論他早前是否已買了醫療保險，60歲時大家要付的保費都一樣。**當然，60歲才開始買醫療保險，最大問題是能否買到，買到的話又是否以標準保費受保，以及完全受保，即是沒有任何不保事項。」

218

 莫
「噢，我和太太的健康還可以，至少到這一刻都未因大病住過醫院，如果我現在買到醫療保險的話，是否等於已經賺了過去幾十年的保費呢？！」

 我
「也可以這樣說！」

消費性的住院醫療保險，退休時才買，絕對不會蝕底，某程度來說，可能是賺咗呢！不過，問題是，當你退休時，身體狀況還是否「完好無缺」？如果是，那恭喜你，你真的賺了；但如果不是，那你就得不償失了，因為最壞的情況下，可能買不到醫療保險。稍好的情況，則是有不保事項，又或者要繳付額外保費才買到！

6.2
自願醫保可扣稅

隨著人口老化愈來愈嚴重，「銀髮市場」可謂商機無限，近年生起「黃金時代」的倡議。這裡所指的「黃金一代」，比「銀髮一族」涵蓋的範圍更闊，泛指45歲以上，經濟和教育背景，以至預期壽命和健康情況也較祖上輩為佳的人士。

2019年我擔任「黃金時代展覽暨高峰會」其中一場研討會的主持，講題是「黃金一代的醫療保險」。我問在場觀眾，有多少人買了醫療保險，粗略估計，只有不足一半人買了，即是滲透率低於五成，但這個比率已經比整體數據為高。

根據政府的數字，截至2016年底，全港大約有240萬人買了個人醫療保險，滲透率大約34%，相比2006年時的20%，大約增加了七成。

銀髮族最怕不受保

值得注意的是，65歲或以上人士的滲透率是「跑贏大市」的，因為在2006年底時，只有大約4.9%的「銀髮一族」有買醫療保險，但到了2016年，這個比率已增加至10.4%，印證退休或接近退休的人士，確實愈來愈重視醫療保障。事實上，在2006至2016年，醫療保險市場快速增長，保費收入由2006年時的36億元，大幅增至2016年時的103億元，增幅接近兩倍。

另外，政府於2019年推出可以扣稅的自願醫保計劃後，市場反應不俗，截至2022年3月底止，已發出104萬份保單，想必有部分是由原本的醫保轉換過去的，但也有不少是因為保障更規範，又可以扣稅，而將整個「餅」做大了！

現時市場上的醫療保險，最大問題是，已有病歷和高齡人士往往買不到保險。還有的是，私家醫院的收費欠缺透明度，不同醫生為同一個病症造手術，收費相差也可以很大，令到買了醫療保險的人，仍要面對不確定的醫療開支。

自願醫保政策做大個餅

同時間，不少中產或中產以上的朋友，由於在職時有公司提供的團體醫療福利，故一般都不會自己再買一份跟身的醫療保險，認為這是浪費金錢，根本用不著。

我不完全反對以上的觀點，但到了一定年紀，例如40歲之後，我認為，大家不妨考慮買一份跟身的醫療保險，因為到這這個年紀，健康已經不是我們可以控制的。萬一身體機件不聽使，出了一些問題，那麼，到了退休之後想買醫療保險時，便可能要加價，又或者有不保事項等等！

高端醫保有大額墊底

現時保險公司提供的高端醫療產品，很多都提供大額的墊底安排，目的就是照顧這批人工高，福利好的中產人士，讓他們用一個相對低廉的價錢，「鎖定」自己的健康（買的時候是完全健康，便可以全面受保）。

等到將來退休，再沒有公司的醫療保障時，可以保證從一個較大的墊底，轉換至一個較低墊底，甚至零墊底的個人醫療保險，而不用提交健康證明，以享更大的保障。

因此，**政府想藉著「自願醫保」去介入私營醫療市場。所謂「自願醫保」，就是鼓勵有能力**

的市民購買私人的醫療保險（將來所交的保費可以扣稅），當他們有病時，就不一定需要倚賴公營醫療，而是選擇私家醫院，從而減輕公營醫療系統的壓力！「自願醫保」協助業界將醫療保險的條文和私營醫療的服務達到規範化，以便更多人買到醫療保險！

早年政府推出的自願醫保諮詢文件，建議日後所有醫療保險產品都要符合12項最低要求，當中最具爭議的就是保證承保，即所謂的係人都保，以及「保單自由行」，即是唔幫襯這間，幫襯另一間時，也不用重新核保。

但由於這兩項要求的承保風險很高（政府曾經建議成立高風險池，由政府注資，最後或者由政府委託某些機構承保），需要與業界從長計議，當年為了讓自願醫保可以盡快推出，最終都決定先將這兩項具爭議性的要求抽起。

其餘10項最低要求包括：保證續保且無須重新核保；不設「終身可獲保障總額上限」；承保範圍必須包括住院及/或以訂明的非住院程序治療的病症；承保訂明的先進診斷成像檢測及非手術癌症治療；要求自願醫保「標準計劃」的保障水平，足以入住中等價格私家醫院的普通病房；費用分擔限制，即是指免賠額或共同保險；訂明更明確的支出預算；標準保單條款及條件以及保費透明度等等！

儲錢可扣稅　何樂而不為？

自願醫保、合資格延期年金供款，以及強積金可扣稅自願性供款，都是同樣有扣稅優惠，更同日實施，而前兩者扣稅金額比自願醫保高得多。

這些措施之所以受到廣泛討論和關注，當然是因為，這是政府破天荒第一次透過稅務優惠，鼓勵市民去買醫療保險和自己預備退休金。自願醫保的扣稅額，每人只有8,000元。記住，這是扣稅額，不是退稅額，即是8,000元要再乘你的交稅稅率，才是真正你慳到的稅款。即使你的每年保費真的有8,000元，稅率又是15%的話，一年也不過慳1,200元，一個月只慳100元稅款咁大把。

不過，政府還有配套的德政，那就是，你的父母、子女，甚至祖父母、外祖父母，以至岳父岳母，以至兄弟姊妹的自願醫保保費，也可以合併由你申報扣稅（兄弟姊妹的話，要符合稅例規定）。

即是說，如果你有4至5個家人都買了自願醫保產品，也可以一併由你申報（操作上只要你是保單持有人，不一定由你付錢也可以），那麼，可慳的錢就較有睇頭了（每年大約慳五六千元）。

變相增加儲錢回報率

但這還未算吸引，我認為，強積金可扣稅的自願性供款，或者認可的延期年金產品才算「有肉食」，因為每人每年有60,000元可扣稅，即是只要每月儲起5,000元便可用盡。如果是17%稅率的話，一年就可慳10,200元稅款。

不過，這個不像自願醫保，連其他「關連人士」的供款也可合併由你申報。你最多只能盡用配偶的扣稅額。即是說，如果你每月儲10,000元，全年12萬，就可以由配偶申報60,000元，你申報60,000元，兩人合共可慳20,400元稅款。

我想指出的是，儲錢退休是每個人都要做的事情，現在還可以扣稅，何樂而不為呢？**我粗略計算過，如果有15%扣稅，等於你所儲的錢的回報率，提高了1.3至1.4個百分點。**以保守的投資來說，這個比率的提升是很不錯呢！因此，這是十分值得做的！

6.3
危疾醫保二揀一？

退休一族的醫療儲備，除了跟身的醫療保險，已承擔了看病的費用，那危疾保險又如何呢？若負擔大的退休族想二選一，如何衡量選哪一份保險？那要考慮的是，危疾保險跟住院醫療保險的分別。

首先，住院醫療保險是實報實銷的，即是要拿單據來賠；而危疾保險則是按投保額作現金賠償，收到錢後，保險公司不管你的用途，不是用來醫病也可以。另外，住院醫療保險的保障範圍較大，無論是因病或意外的住院都可以索償，而危疾保險則只保障幾十種重病，當然，最主要的一定是癌症、心臟病和中風等等。

危疾＋儲蓄　有回贈保障

這樣說吧，年紀大了才買人壽或危疾，槓桿比率肯定會低一點，因為每年要交的保費，是以你買保險當年的歲數釐定的。另外，市場上主流的危疾保險，都是有儲蓄成分，即保費會比沒有儲蓄成分的危疾保險為高。因此，當退休時才買，保費肯定會較高！

但這時買又是否不划算呢？那又未必！因為所有有儲蓄的保險，無論是人壽或危疾，都等於一份有保費回贈的保險。以危疾為例，在保單生效期間，就算沒有發生受保危疾，投保人也可以取回部分，或全部，甚至更多的現金（視乎保單生效了多久），所以，我說有儲蓄的保險，就等於一份有保費回贈的保險。

假設投保人現時60歲，現在買一份有儲蓄的危疾保險，槓桿比率不會太高，而且，萬一在你付清保費的那一年才患上受保危疾，到時的槓桿比率可能低到不足一倍。

槓桿作用始終值得

但這又如何，不要忘記，萬一你在付了第一期保費後便患上受保危疾，你的槓桿比率仍然很高呢！不要忘記，為甚麼你在這個年紀才買，保費會較高？正因為你的風險也較高嘛！

至於保費會比年紀輕時買貴一截，這是對的，但其實，對於退休人士來說，銀行裡不可能沒有一些儲備的。**而所謂的負擔，只不過是將自己的錢，從銀行搬到保險公司，又或者從純粹的儲蓄戶口，搬到一個保障戶口而已。**

儲蓄戶口當你有任何重病時，都只能提供戶口內的金額給你，但保障戶口當你有任何重病時，便可以倍大原有的金額去使用，這就是我說的槓桿作用呢！

退休前買危疾保，可以用年薪2至3倍數作為一個投保額的參考，因為萬一患上重病，絕對有可能停工一段長時間，這個賠償額就可以作為替代收入。**但當退休之後，已不用彌補收入，可以考慮以治療一個最普遍的危疾，即癌症的費用作為參考。一般估計，萬一患上癌症，治療費用可能要幾十至過百萬，大家可以結合自己的能力去決定最終的保額。**

第七章

平安三寶篇

有無遺囑
差天共地

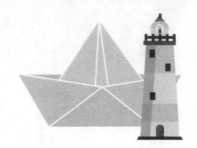

7.1
第二人生
最重持盈保泰

今時今日，「退休」這個觀念已經愈來愈模糊了。

有些人認為，退休代表第二次職業生涯（Second Career）的開始；也有人認為，退休是回饋社會的時候，去當義工過得充實；也有人認為，退休是享受人生的開始，於是，利用自己的「黃金十年」（行得走得又食得），去世界各地旅遊；也有人認為，退休是另一個學習階段的開始，這些人很多都是年青時沒有時間或沒有機會進修自己喜歡的科目，或爭取更高學歷，所以，就趁退休初期重拾書本！

數數手指，原來我也有幾位同學自願或不自願地退休了。我總結了一下，原來他們現在所做的，幾乎就是上面我提過的「工作」：

最早退休的同學是一位會計師，他還未「入五」便放棄專業，投

身宗教，經過幾年「奮鬥」，現在還當起牧師來，他可算我們同學中，成功開展「第二職業」的首人！

提早退休展開第二職業

我另一位同學畢業之後一直從商，一直聽他説想再讀書，更提早退休重拾書包，回到校園讀人類學。我也想不到他會去讀這麼冷門的科目。他似乎也讀得很開心，只不過，他要重新學英文了，因為人類學的課本，很多都是用古典英文撰寫的！

我另一位醫生的同學，也是「入五」不久就退休，一年到晚跟太太和另一班退休人士呢度去，嗰度去。我數一數，單是這幾年，他已經走遍半個地球了吧！但他似乎仍然樂此不疲，現在又再計劃下一次行程了！

我另一位從事教師的同學，去年也提早退休了，但繼續從事教育相關的工作，不過，現在的他很自由，因為他卻可以在家中工作（Home Office），我知道，他現在的收入比以前少一截，但難得他毫不計較。

有錢與否都須財務策劃

處身人生第二個15年的我們，這個階段對金錢的欲望與「搏殺期」已不能同日而語。人與金錢至少有5種關係，包括賺錢、儲錢、使錢、為錢增值，以及跟人分享金錢。**但當我們退休後，已經不用賺錢和儲錢了，也不需太著意去為資產增值，而應該持盈保泰，盡量保住自己50歲前賺回來的財富。**這個時候，當然只剩自己使錢和跟別人分享金錢了。但使錢多少也跟儲錢有關，因為自己使得多，就意味儲起來或留低的便會少；相反，自己使得少，才可以儲起或留低更多

大家不要以為李嘉誠等富豪，擁有「無限的資源」，就一定可以滿足他所有理財目標，因為富豪們的身家可能多我們幾萬倍，但他們的理財目標同樣可能大我們幾萬倍呢。所以，無論有錢與否，都需要做財務策劃！何謂財務策劃？我自己的定義是：如何調配每個人的有限資源，去滿足人生不同階段的理財目標。

以下以兩個例子與大家分享個人心態對財務策劃的影響。

數年前，我自己已經「入五」，但我太太還未到，所以，我和太太有個共識，就是我們二人仍然會買一些增長股，目的是希望盡快累積我們心目中的股票市值，而在我們現有的股票當中，主要由她負責累積和管理一批可以用來退休後收息的股票。

個性互補　夫婦分管理財組合

由我太太來管理收息股的原因很簡單，因為她買股票之後，總是不願放的，賺了的想再賺，蝕了的又捨不得沽。因此，我囑咐她負責這部分的投資，因為我們買入的收息股，絕大部分都會長線持有，這正合她的性格。

至於我自己，由於我相對勤力，又喜歡研究股票，所以由我來管理一個增長組合。當然，隨著年紀漸長，我負責的組合，佔比會愈來愈低，現在的比重已低於我太太的收息組合。

而且，這個增長組合也以大藍籌為主，我可以告訴大家，當中最主要的持股就是騰訊（00700）和友邦（01299）。而且，我們在金融海嘯後已經沽掉所有沒有派息的股票，即是我管理的增長組合，也是有息派的公司（雖然息率不高）。

我們有計劃，當累積到心目中的股票價值後，便會逐步減持增長股，換入更高息的股票，以部署將來退休。

同樣在五十出頭的階段，我的朋友中，有一位典型中產人士，在

一家跨國機構擔任要職，年薪至少200萬，還未計花紅，但早前因為公司重組，所以有點意興闌珊，今年中毅然辭職。

以我的理解，他的資產最少也有5,000萬，就算扣除自住的物業（已供滿）大約1,500萬，餘下的3,500萬資產，如果能夠提供4%的年回報，每年也有140萬的收入（比他工作時略少），即每個月有近12萬的收入，而且不用納稅，其實已經很充裕，也羨煞幾許旁人。

「總覺得唔夠錢退休」

但他卻一直擔心自己退休唔夠錢使。他告訴我，不要看輕通脹，尤其是中產主要消費的商品和服務，通脹的幅度比一般普羅消費品更大，最明顯的例子就是旅遊開支。

不說不知，他和太太最喜歡去旅行。退休前，每年去三至四次旅行，當中有至少兩至三次是去日本的，另一次大多是歐洲。他告訴我，這些服務價格的升幅，其實比一般日用必需品還要高！但在早前一次碰面的時候，他才告訴我一個「秘密」：

朋「其實，最大問題不是我擔心，而是我太太，因為她堅持，退休之後的生活水平不應該低於退休前。而且，她想保持每年去幾次旅行，所去的地方跟退休前沒有多大分別。你知道我的，如果是我自己的話，我的生活相對可以很簡樸，現在有時間，我去街市買餸，也會格價，甚至等下午茶時段才去吃午飯，但我太太到目前為止仍不習慣！」

我「哈哈，原來是這樣，即是說，老婆總覺得不夠錢退休，但你就認為可以用開支去遷就。不過，我告訴你，大體來說，這都是基於女性稍為欠缺安全感而生的憂慮。一方面，隨著時間過去，或者年紀稍大，她對於生活質素的要求會稍為降低的；另方面，只要你重整你的資產，盡量轉換成有現金流的資產，即是所謂『食息唔食本』，妳太太會較安心的！當然，你最好立定遺囑，萬一你走了，便把所有錢都交給她，她應該會更安心的！」

235

朋「我已經做了！」

「那不錯呀!」

「不過,你說得對,我的資產中,只有一個收租物業,其他都是股票和基金,當中很多都不派息,或至少不派高息。現在看來,我真的要認真整理一下我的股票,沽了那些不派息或者太低息的股票,轉去一些高息股了。而且,我也應該考慮多買一至兩個物業收租!」(編按:當時政府未宣布,雙倍印花稅的稅率會劃一為15%)

「這是可以考慮的,只不過,現在樓價仍然很高,租金回報率未算吸引!」

其實,今時今日在香港過退休生活,真的豐儉由人。不是嗎?兩蚊就可以周圍去,我認為,由中環去愉景灣是最抵的,因為正價船票要46元,可謂貴絕各種交通工具,但樂悠咭人士(60歲或以上便可申請)只需兩元。

退休生活豐儉由人

我有退休朋友特地去愉景灣行山，等到下午茶時段就去嘆下午茶。事實上，很多退休族也等到下午茶時段才吃午餐！另外，娛樂方面，樂悠咭人士也只需25元就可以去戲院看早場！

當然，你也可以揸架 Benz（現在興 Tesla？）去中環文華酒店食個接近300元的海南雞飯午餐，又或者去半島 High Tea，然後晚上去看場幾百元，甚至過千元門票的演唱會或歌劇。這一切都取決於你有多少身家，以及你想怎樣過你的退休生活。

但我始終相信，大家不可能在生前把自己副身家用盡吧！最終必定有部分是需要，或想和別人分享的。因此，生前的捐獻，以及身後的遺產分配才是退休人士跟金錢最重要的關係，也是最需要規劃的部分，尤其是資產承傳這部分。

7.2
無遺囑
政府幫你分身家

我們做財務策劃的人，經常叫人要做好財務策劃，否則，當不幸發生時，就會影響我們日後的生活；又或者，為了將來有美好的退休生活，我們也要盡早規劃，因為愈早規劃，愈早實行，我們需要冒的投資風險就會降低。

但原來，有時候，也不到我們去規劃！何出此言？早前我有位同事過身了，她不是遇到意外，而是因病離世，但整個過程只是歷時兩個月左右，如果以住醫院計，也不過3個星期。

住院期間，她仍然努力工作，跟客戶聯絡和給予服務，殊不

知，她一進醫院就不能再出來。她只不過50多歲，身體一向健康，不煙不酒，又是素食者。患病之前，還剛去了一次旅行，更不斷推動同事們明年再去一次大旅行。

只可惜，她突然患上皮肌炎，最初她以為只是普通的感冒病，因為她的病徵主要是咳嗽和皮膚出了紅疹，住院初期也想不到會這麼嚴重。但原來，這是一種免疫系統的病，因為免疫系統弄錯了對象，攻擊她的肺，令她最後肺衰竭而死亡。

壯年早逝　猝不及防

對於仍處壯年的人來說，遇到意外突然離開，我們有較大的心理預期；但壯年人因病而突然離開的，在新聞中，我主要聽過因為心臟，但除此之外就沒有其他了。因此，今次這位同事的離世，也實在感到難以接受。這位同事也有自己的退休安排，她打算幾年後到很喜歡的泰國退休，也打算在當地置業，但剎那間，一切成為泡影。

退休其實有沒有得 Plan ？我這位同事單身，所以，沒有需要傳承任何財產予下一代，但她尚有高堂，也有不少兄弟姊妹。遺憾的是，她沒有做到任何指示便過世。因此，一切傳承，都只能靠《無遺囑者遺產條例》的安排，按部就班地分予你或你配偶的家人（見圖表 7.1）。

但到底應該跟誰分享金錢？這個只有你自己才知道！至於遺產策劃的定義，就是如何以最便宜，以及最有效率的方法，將自己死後的財產跟「別人」分享。

我在別人二字之上加了引號，意思是，這個別人，可能真的不是你心目中的那個人！在某些情況下，你的財產會分了給你不想分的人！若此非你所想所願的，就必須立張遺囑，指明你哪部分的身家想留給誰了。最近我也的起心肝，跟太太上律師樓立了張遺囑，因為世事難料，如果給上天殺個措手不及，那你在生的後人就可能很慘了。

圖表7.1　無遺囑者的遺產繼承安排

A. 死者只遺下一名配偶

如果死者只遺下一名配偶，但沒有後裔、父母、有血緣關係（同父母）的兄弟姊妹，那麼，在生的丈夫或妻子，便有權取得死者的剩餘遺產（即在扣除死者的債務、稅項、葬禮費用、法律及遺產管理費用後，所剩餘的全部產業）。

B. 死者遺下配偶及後裔

如果死者遺下配偶及後裔，無論死者是否有父母或兄弟姊妹在生，死者的配偶可先取得以下遺產：

1. 死者所有的非土地實產
2. 剩餘遺產中的50萬元

在上述的50萬元分發後，如果尚有剩餘遺產，便會再分成兩半，一半發給配偶，另一半則平均分發給死者的所有子女。如果死者遺有後裔，即使配偶已離世，死者的父母及兄弟姊妹均不可得到任何遺產。

C: 死者遺下配偶、父母及兄弟姊妹，但沒有後裔

如死者沒有遺下後裔，即使配偶在生，死者的父母及兄弟姊妹亦可分得遺產。在生的配偶，可先取得以下遺產：

1. 死者所有的非土地實產
2. 剩餘遺產中的100萬元

在上述的100萬元分發後，如果尚有剩餘遺產，便會分成兩半，一半分發給配偶，另一半則分發給死者的父母。

另外，如死者的其中一個或兩個父母都在生，死者的兄弟姊妹便不能分得遺產。他們只有在死者沒有遺下後裔及父母的情況下，才有權分得部分遺產（扣除配偶所得部分之後）。

遺囑分身家平靚正

如果你真的有一些人想給一些遺產，又或者想明確給予某一個百分比，那就對不起了，這是辦不到的，因為你沒有留下「指示」。我所說的指示，就是「遺囑」。**一個完整的財務策劃方案，遺產安排是重要的一個環節，而立遺囑正是遺產規劃的第一步，也是重要的一步**。只要你找一位事務律師，把你的資產和分配意願告訴他，便可以辦理，費用不貴，一般幾千元左右便可以，實際收費視乎遺產的複雜性。

立遺囑的最大好處就是遺產分配，如果死者在去世前立了遺囑，並委任了遺囑執行人，該執行人便是唯一有資格申請遺囑認證書的人。

有了遺囑，死者的財產就會按照他/她的意願分配。舉個例，如果死者遺下配偶和子女，但沒有立遺囑，在《無遺囑者法例》下，死者的父母和兄弟姊妹便無權分得死者任何遺產。因此，如果你想死後仍可照顧父母或某些人，就必須透過遺囑申明，否則，他們最終可能要透過法律途徑，才可取得你想給他們的那部分遺產！

另一邊廂，如果死者沒有子嗣，同樣沒有立遺囑，他/她的部分遺產就會歸入死者父母的一方，配偶不可以全數繼承。如果你的配偶也沒有立遺囑，當她過世時，她的父母和兄弟姊妹便可以分配她的身家（部分是你的身家？），這是否你的意願？

遺囑缺點　一筆過分配

另外，立遺囑的另一好處是可以藉此安排照顧一些不能自理的子女或親屬，例如傷殘、智障，甚至病態賭徒，又或者非婚生子女等，都可以透過遺囑作特別安排。最後，我想提一下，後人要處理先人在香港的遺產前，必須到高等法院的遺產承辦處，取得有關的遺產承辦書，即是有權處理死者遺產的證明文件。

不過，大家要注意，將遺產分發予相關受益人之前，遺囑執行人或遺產管理人需先支付死者的債項，例如信用卡月結單，以及其他私人債項等等。值得一提的是，如果死者的遺產不超過15萬港元，以及只有銀行存款和或強積金，就算沒有遺囑，遺產承辦處也可以協助申請人，以簡易方式申領遺產。

總括一句，透過遺囑來分配自己的身家，真的可謂平靚正，但近年有不少新聞都是有關假遺囑的而鬧上法庭的新聞，或會影響大家對遺囑的看法，以為遺囑有很多缺點。

最經典的個案莫過於小甜甜龔如心的遺囑風波，但我想指出的是，如果是立心做假，其實，任何再好的工具也沒有用。遺囑的一個特點是，如果某人在某年某月立了一份遺囑，但其後改變主意，是可以再立一份遺囑，以取代舊遺囑。

小甜甜的案件塵埃落定，法庭最終裁定，陳振聰提交的，聲稱是小甜甜的最後一份或最終一份遺囑，其實是偽造的。如果是假的，那就跟遺囑的功能沒有關係了！

不過，**遺囑確實有一個缺點，那就是，你的遺產是會一筆過分配給你想分配的人或機構。萬一你想將身家交由一個第三者管理，然後再定期分配予你想照顧的家人或機構，遺囑確實做不到，這唯有靠信託了！**

7.3
信託保險
靈活分配資產

成立一個信託，主要涉及3個角色，一個是信託設立人或委託人（Settlor）、一個是受託人（Trustee），另一個是受益人（Beneficiary），這就是所謂信託的三角關係。

一般而言，信託是由委託人為了受益人的利益，把資產交與受託人託管，而委託人與受託人之間是一種法律關係。由受託人根據信託契約的條文管理信託內的資產，並根據委託人的指示，將信託內的資產，有秩序地分配予受益人。

整體上，成立信託會比其他財富傳承工具的費用高一點，因為一般會有成立費、年費和管理費。不過，現在成立信託已不是富豪的專利。據我所知，很多中產家庭也會透過成立信託，以達到財富傳承的效果。

保密度高　也免爭產

原因在於，信託可以是一種靈活分配資產，又有高保密度的資產保障和繼承工具，例如，家中若有需要特別保護的家庭成員，如智障子女，或離婚個案中的未成年子女，又或年老的雙親等，委託人都可以按其意願，繼續保障他們的生活。

而信託的最大意義當然是避免爭產，因為既然資產管理，以及受益人的利益已經一早訂明，自然可以大大減低爭產的機會。另外，成立信託也可以是基於稅務考慮，因為若涉及一些海外資產，成立信託也可以獲得稅務豁免。

另外，成立信託，代表家族已經跟企業分離出去，萬一該企業將來經營不善，甚至最後破產，也不會影響家族成員的生活。

如此可見，遺囑便宜，卻只可以將你的身家，一筆過給予你指定的人。萬一這個人不擅理財，或者需要特別照顧，那就不太適

合；至於信託，雖然可以做到遺囑做不到的事，但價錢卻相對昂貴，未必人人都能負擔。大家有沒有想過，有一項最便宜、甚至可以說是免費，歷史悠久又簡單方便的工具，同樣具備遺囑和信託的功能，那就是人壽保險呢？

人壽保也是遺產策劃工具

人壽保險是透過填寫受益人，將保險賠償金分給你屬意的後人。受益人可以多於一位，然後是平均分配，又或者按你指定的比例分配。

在此我想指出一點，保險賠償本來已有一項特殊功能，就是不用經遺產承辦便可以拿到錢。即是説，當受保人過身時，保險賠償金不但不用凍結，還可以短時間內支取。過去香港有遺產稅的年代，很多受益人就是用保險賠償去支付遺產稅的。

保險本身的槓桿作用

但你可能會問，保險賠償不就是等於遺囑嗎？它都是一筆過將保險賠償給予你的受益人。

且慢，其實，**有些保險公司已經可以就旗下的個別產品，提供類似「信託」的安排，即是當受保人過世的時候，可以將整筆保險賠償保留在該份保單之內，雖然該筆錢未必會繼續滾存增值，但卻可以安排以「定期方式」，將保險賠償支付予受益人。**

還有的是，這個安排是不收費的，換句話説，在受保人在生時，這是一份保險，當受保人過身時，就會變成一份「免費信託」或「迷你信託」。

更重要的是，受益人的身分始終不變，他/她不會變成持有人，即是不可以要求保險公司一筆過支付尚未支取的賠償。換句話説，就算受益人身邊有心懷不軌的人，覬覦其身家，也不可以一筆過取走，只能按照當日受保人的意願，每月或每年支取固定的生活費（受保人在生時決定支取期和支取金額）。

人壽保險本身已有槓桿作用，再加上遺囑和信託功能，所以，它確實是一種理想的遺產策劃工具！

保險分身家　定期定額支取

不過，有朋友問我，富豪會透過「信託」去分身家，但他們也有需要買人壽保險嗎？因為大家的理解是，有錢人根本可以自己保自己，犯不著去買保險，讓保險公司賺錢。

但其實，這種想法是錯的，愈有錢的人愈會買保險，而且會買得很大。

如果大家有點投資知識，應該會明白，保險就等於投資產品中的期權。投保人就像投資者，他付出小額的保費，等於投資上的期權金，萬一受保人有事，自己或後人，就可以行使權利，收取一大筆保險賠償，變相創造財富。

我舉個例，假設一個富豪有一億身家，他有 3 名子女，如果他想

每人留 2,000 萬身家，就等於要撥開 6,000 萬，這筆錢不可以動用，或者至少不可以冒太高風險去投資。但這樣做，顯然是不靈活的，所以，保險就可以解決這問題。

「保費融資」由銀行付保費？

假設他買一份保額 6,000 萬元的人壽保險，保費 1,200 萬元（大多一筆過付，不會分期交），即是他只需付 1,200 萬，就可以「創造」6,000 萬元的財富。如果自己過身，3 名子女就可以分到 2,000 萬元的遺產（由保險公司支付）。

不過，從理財角度，這樣做仍未算圓滿，因為 1,200 萬元保費說多不多，說少也不少，始終不太划算，於是，他們會再用做生意的手法，即是用別人的錢去替自己賺錢，那就是，透過保費融資去安排這 1,200 萬保費，儼然將該份保險抵押予銀行，由銀行替他們付保費，自己只付有關的利息！

我同意，這是少數人的做法，但對於大部分普通人來説，恰當地

利用保險這種理財工具，確實可以替我們解決很多退休和遺產策劃的問題！

靠努力取得的成就才會珍惜

近年有個大氣候，就是富豪們都傾向將自己的大部分遺產，捐給慈善機構。如果超級有錢的，更會成立自己的慈善基金。綜合來說，我是中國人，我也認同，留錢給子女，或者說，把自己的遺產分給子女，本身是合理和正常的做法！不過，我一定不會將所有遺產全部留他們，我會把一部分給他們。

正所謂，Easy come，Easy go，因為，太容易得來的東西，往往輕易丟失。只有靠自己努力賺回來的東西，我們才會珍惜，才覺得可貴。如果年紀輕輕就承受了一大筆遺產，我的經驗告訴我，其實不是好事！

我在網上看過一篇短文，談到美國爺爺怎樣傳承財富，我認為值得參考。原來，如果一個美國爺爺有100萬美元（下同）資產的話，他會自己用70萬來享受生活，其餘30萬用來買兩份人壽保險，每份保額100萬，並把這兩份保險分別送給兩名子女（假設他有兩名子女）。

最微妙的是，他們這兩名子女，也完全跟足父親的做法，先拿30萬去買兩份人壽保險，每份保額都是100萬，其餘70萬就自

己用來享受生活，餘此類推。結果，他們每一代都能夠像爺爺一樣充實富足。

善用市場工具發揮財富價值

各位，撇開子女們是否不勞而獲，又或者我上文所說的Easy Come Easy Go的問題，我想指出的是，這位美國爺爺是充分運用了市場上的理財工具，將自己賺回來的錢，發揮出最大的價值。

假設這位美國爺爺不是透過保險來傳承遺產，而是自己儲起這筆錢，也假設每位美國爺爺都這樣做的話，可以想見，整個經濟體系就會少了很多流動資金。

有人形容，保險是經濟的潤滑劑，正是這個道理。看來，我也應該學習一下美國爺爺的做法，只留一份保險給我的子女便算，而我就可以拿其餘的錢去享受生活。當然，這樣做的話，我還有更多錢可以捐出去幫助別人，這豈不是一舉多得？！

7.4
「無形資產」承傳後代

中國人的傳統觀念，總是想留一些「東西」給自己的下一代。但我認同李志誠博士的著作——《家族・企業傳承的藝術》中的一篇文章所説，最值得留給子女的，就是自己的人脈關係。這種無形資產，相信比一層樓，或者一大批股票更有價值。

當中最吸引我的是一封給子女的遺書，這封遺書叫「爸爸生前好友的名單」。我認為，這才是給子女們最有價值的遺產。以下是該封的遺書的內容：

「當你看到這封信的時候，請不要難過，爸爸已經到了另一個地方生活。但請你記住，爸爸無論在任何地方，都無減我對你的愛。您們，就是爸爸曾活過世上的最好見證。因此，我懇請您們珍惜自己的生命，猶如我珍惜您們一樣。

孩子們，您們的生命將會有更多不同階段、不同經歷、不同際遇，爸爸會一直支持您們、信任您們及祝福您們。我希望送給您們的遺產，不單是財富，更重要的是這遺產能夠幫助您們，傳承到爸爸的理念及精神，這禮物就是爸爸一份好友名單。

「爸爸好友名單」傳承智慧

俗語有云：『人生得一知己，死而無憾。』爸爸生前有幸相識到一班知己朋友，他們在過去一段日子，與我同喜同悲，同度風雨人生。我曾向他們說，我會擬備好一份好友名單，待我離世後，名單會成為遺產最重要的一部分，傳承給您們。

我對他們提出邀請說，我的孩子他日遇到挑戰時，若有任何需要，希望你們能把經驗、智慧指導後輩。孩子們，他們義無反顧的接納了我的請求。

人生在世，必定會有起跌，有喜有悲。順境時固然要盡己力，幫助身邊有需要的人。遇逆境時亦要沉著應對，不輕言放棄。孩子們，我深信他日若遇到困難，您們若虛心請教他們，他們必定一如往日與我相聚時一樣，與您們真誠的分享經驗及意見，助您們反思人生，發揮正能量，勇敢面對挑戰。

爸爸還有一個更重要的心願，是您們在平常的日子，更要不時拜會他們，代爸爸向他們送上問候及祝福。

至於遺產的分配，我已經交托予我信任的機構執行。他們會按我的心願，為您們作出安排。爸爸絕對相信您們的能力，您們的才能，能過優質的物質生活，因此，有關分配上的安排，不是我最關注的。爸爸最重視的，是您們能否享受生命的精彩，是否能活出有價值的人生。

如果孩子們自給自足，那請您們把這祝福的遺產，協助更多有需要的人士，捐贈給慈善機構。

最後，爸爸祝福您們能擁有一個時刻美好的生命，不論處於任何景況，都擁有快樂的心境。」

保單器官也可遺愛人間

當然，除了這些無形資產外，我們少不免仍有一些實質的資產可以承傳給下一代。不過，除了家人，如果自己死後仍然有用不完的財富，不妨考慮將部分或全部捐出來，讓你的「老本」遺愛人間。其中一個簡單方法，就是響應保險界提倡的「保單傳愛計劃」，這個計劃是由

香港保險從業員協會和保協慈善基金主辦，各大保險公司贊助，並得到香港社會服務聯會、香港醫學會器官捐贈名冊基金、樂施會、香港紅十字會、無國界醫生等廿多個慈善團體支持。

這個計劃鼓勵香港市民捐贈部分保額予慈善機構（例如：家人90％，慈善機構10％），以幫助有需要人士，做到真正的遺愛人間，延展希望！

不過，除了實際金錢之外，自己的身體也是很有價值的。數年前鄧桂思女士因為肝衰竭，急需有人捐肝一事，一度燃起港人捐贈器官的熱情，但當傳出，鄧女士肝衰竭可能涉及醫療失誤之後，竟激發很多本來願意捐贈器官的人取消捐贈，實在令人感到無奈。

明顯地，縱使有醫療失誤，也跟應否捐贈器官沒有關係，如果從救人的角度看，那就更應該捐。幸好後來這個放棄捐贈器官的情況，很快便緩解了！

金錢可以買到很多東西，但偏偏買不到健康。各位，如果你想自己徹底地遺愛人間，除了捐出部分財富予慈善機構外，不妨再考慮將自己的器官捐出來，可以幫助到的，肯定不只一個人，而是一個家庭，又或者，一個有為的青年。

把臭皮囊發揮到極致！

不過，我認為，這還未算徹底，如果大家真的想自己這副「臭皮囊」發揮到最極致的境界，可以進一步考慮將自己的遺體捐出去，做一個「無言老師」，真正以生命影響生命！

香港中文大學於2011年開始，展開了一個名為「無言老師」的遺體捐贈計劃，目的是鼓勵市民死後將遺體捐出作教學用途，當中包括提供予醫科學生作解剖實習、進行外科手術研究，以及製作標本等等，藉以提升學生的醫學水平。經過解剖的遺體，最後會火化，骨灰會轉交家人。

原來，早年各大學的醫學院，主要依賴食環署提供的無人認領遺體，作為教學和研究用途，也曾有遺體不足的情況。於是，2011年時，中大醫學院的幾位負責人促成了這個「無言老師」的遺體捐贈計劃。

人死後，軀殼帶不走，但卻可以捐出來作別具意義的醫學用途，實在很奇妙。

7.5
「平安三寶」
plan 好最後一段路

最近我看到一本書，由陸文慧律師所寫的，書名叫《贏在終點線》，書中推廣「平安三寶」，而我則稱之為「退休三寶」，當中的三寶就是遺囑、持久授權書和預設醫療指示。

遺囑相信大家聽得多，至於持久授權書和預設醫療指示則可能有點陌生，我認為，不論年紀，只要你開始規劃退休，都應該把上述「三寶」納入你的退休方案之中，當中尤以遺囑最重要。

失智前安排「持久授權書」

早前有位正在規劃退休的客戶問我，當自己年紀大了，假如配偶過世，自己又沒有子女，到時患上老人癡呆，又或者中了風，失去自理能力時，怎樣處理自己的財政？

在香港現行的法律下，有一個機制去保護一些沒有行為能力的成年人，包括弱智人士、精神病患者，或者患上老人癡呆的人士，那就是監護委員會，這個組織隸屬香港的司法機構之下。

萬一某人失去行為能力，不能處理自己的財政，他的家屬，又或者協助他的社工（每間政府醫院都有駐院社工），又或者註冊醫生便可以替他向監護委員會申請，由一位監護人代他處理財政。這名監護人可以替他處理每月 18,100 港元或以下的財政。超出上限，或者他想這個監護人替他處理例如收租、樓宇買賣、收股息或其他投資事情，就要向高等法院申請委任一名「產業受託監管人」，手續會比之前複雜一點。

兩醫生證失去行為能力

但有一點要注意，在你申請的一刻，準確來說，替你申請的一刻，你的申請人必須同時遞交兩份註冊醫生的醫療報告（一份是專科醫生的），證實你失去行為能力。

相反，如果大家想趁健康時安排好這些事，就要安排我上面所說的「持久授權書」，委任一位或多位親友，出任你的監護人，當你確認失去行為能力時，這份「持久授權書」便會生效。

有些人也會在自己健康時安排「授權書」，委託親人或信任的人，但這類「授權書」會在當事人失智後失效。但「持久授權書」剛好

相反，它是在當事人失智後生效或繼續生效的（如果一開始就採取持久授權書）。

要注意的是，安排上要有兩位見證人，一位是醫生，另一位是律師，可以先出醫生見證，但之後28日內，律師便要見證。當事人萬一失智，授權人只要將這份授權書向高等法院註冊便可生效。

活得有尊嚴：預設醫療指示

相較遺囑及持久授權書，預設醫療指示相對狹窄，現階段香港未就預設醫療指示立法，現在採用的是醫管局根據香港法律改革委員會在2006年提供的範本再改良的版本，主要針對在3種情況下可選擇不接受維持生命治療，包括心肺復蘇法。

該3種情況分別是末期疾病、持續植物人狀況或不可逆轉的昏迷狀況及其他晚期不可逆轉的生存受限疾病，例如晚期腎衰竭、晚期運動神經元疾病和晚期慢性阻塞性肺病。不接受某種治療，而不能要求醫護人員採取哪種治療。

當我們年紀大了，自理能力無可避免會逐步降低，萬一去到一個不可逆轉的地步時，到底應否用一些維生治療，勉強維持生命呢？有時候，在醫院看到一些老人家被插胃喉之餘，還要被綁雙手，實在覺得情何以堪！

如果自己能在清醒時給了指示，就可避免家人在當事人的生死關頭時要作出這沉重決定，也可免卻其內疚感。但要留意，預設醫療指示只限於在特定情況下不接受某種治療，而不能要求別人直接終止當事人的生命，包括安樂死（香港是不合法的）。

生死關頭　免卻家人為難

由於香港未就「預設醫療指示」立法，所以，這個指示不一定對親屬和醫護人員有約束力，但至少能作為「預設照顧計劃」的一部分，有個書面紀錄，可讓親友明白自己的意願。

要注意的是，簽署預設醫療指示，必須在自己神智清醒時進行，並且要有兩位見證人，其中一位是醫生。另方面，為了避免嫌疑及利益衝

突，當事人遺囑或保險受益人，以及當事人訂立的其他文書受益人都不可以作為見證人。

不過，汲取外國實施預設醫療指示的經驗，與其寫下有約束力的具體拒絕治療決定，應該多寫沒有約束力的價值觀和治療取向，例如自己不在乎生命長短，只希望活得有尊嚴，不受肉體或精神上的痛苦等等。

又或者，到了晚期病患時，在決定任何方法的治療時，必須對其效率和副作用作出平衡取捨，所謂的副作用，除了醫學上的副作用之外，還包括對病人及其家人造成的心理壓力。即是說，為了避免副作用之弊，如果成功率低於八成，就寧可放棄治療等等。

放棄治療的考量

這個做法跟我上文提到的「預設照顧計劃」有關係，因為事實上，在自己健康和相對年輕的時候，也未必能預知將來的醫學發展，又或者，當自己罹患重病時，又是否能忍受某種形式的維生治療方式。

因此，近年醫管局屬下的醫院開始為晚期不可逆轉疾病的患者推行「預設照顧計劃」。而預設醫療指示只是整個照顧計劃的一部分。

▶「預設照顧計劃」簡介

按《贏在終點線》所述，照顧計劃涵蓋以下幾點：

1. 用藥物減輕痛苦至為重要，即使用藥後可能逐漸失去知覺，不能認出自己的親人和朋友，也希望用藥物減輕痛苦；

2. 不論病情有多嚴重，也要求有知情權，由醫生直接把病情告知；

3. 願意採用中藥治療；

4. 代作決定的人選；

5. 喪葬安排；

6. 器官捐贈。

據了解，有些地區在進行「預設照顧計劃」時甚至採用視像錄影，萬一當事人有一天患上認知障礙症或老年癡呆症，也更容易喚起當事人的記憶，而且，攝錄了整個「預設照顧計劃」的過程，也許更能令指指點點的親友信服。

立法路遙　盼港做到老有所依

另外，值得一提的是「代作決定的人選」這一項，可能是最實際

的「預設醫療指示」，因為醫學日新月異，最好能找一位自己熟悉，價值觀又一致的親友，作為日後自己失智時，代為作出醫療決定。

不過，無論預設醫療指示，或剛才所說的委任代表作醫療決定者，在香港都未立法，沒有法定約束力。隨著人口老化，除了開設更多老人院，從實際上照顧老人家外，這些「軟環境」也相當重要，希望香港能夠追得上潮流，做到真正的「老有所依」！

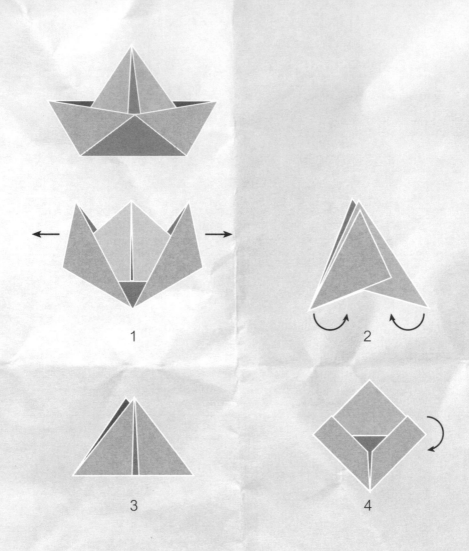

1

2

3

4

5

6

7

8

9

結語

已經90歲的家母，近來身體狀況明顯大不如前，健康狀態頗為飄忽，今日算是不錯，難保明日不會變得虛弱。

人生就是一個循環

家母「病歷」不算長，主要是十多年前輕微中風，影響了她的平衡力，以及2017年時因為頸椎退化而一度壓著神經線。幸運地，經過一輪的針灸治療，她手腳的活動能力恢復了八九成，但行動變得緩慢，要用助行架才能步行，平時出街更要坐輪椅。

家母除了身體個別器官退化之外，腦筋完全沒有問題，仍然頗精明，甚至可以說是「挑通眼眉」，每天看時事新聞，對於一些幾十年前的陳年往事，也記憶猶新。

但這對她來說，並不是一件好事，因為頭腦太清醒，很多事會困擾她的心情。她經常失眠、尿頻、眼乾，也欠缺胃口，整個人覺得很累，有時候又會覺得個心「嘍嘍攣」，但她的血壓和脈搏，整體仍然可以。

近期家母的身體狀況，又令我想起，人生最大的幸福，確實是自己的最後一程，能夠舒舒服服，沒有太大痛苦，也不連累家人。

看到家母最近的身體狀況，我有點擔心，但我知道她以前做了很多善事，對於有需要的朋友，她會二話不說，出錢出力去幫忙。我希望，她在年輕時種下的因，能夠讓她在最後一程的日子，過得舒舒服服。這一刻，能夠讓她過得舒適的，其中也是子孫的陪伴。因此，近年每當周日，工人姐姐放假，我都會推她到平台花園曬太陽，做少許運動。

當我還是BB的時候，她推著嬰兒車，帶我去街和遊玩，幾十年後的今日，我推著輪椅帶她散步和運動，這就是世界的「輪換」，人生就是一個循環。但我相信，子孫的陪伴，比起一切中西藥都更有療效。

善待你暮年的日子

在我的 WhatsApp 群組中，有朋友傳來一篇短文，說是錢鍾書夫

人，著名女作家楊絳，在她103歲時寫的一段睿智之言——《善待暮年》（錢夫人在105歲時離世）。

我沒有查證該文是否真的出自楊絳手筆，因為重要的是當中的道理，我想跟大家享一下。

「花開花謝，潮起潮落，不經意間我們正走向人生的暮年。從呱呱墜地到兩鬢染霜，歲月的行囊裡裝滿了酸甜苦辣。接下來，在夕陽的路上能走多遠，取決於我們的體魄和心態。

在曾經的歲月裡，每個人都會有大小不一的光環，但這光環已是『過去式』。當光環退去，誰都是柴米油鹽，誰都是一介布衣。

我們曾如此渴望命運的波瀾，到最後才發現：人生最曼妙的風景，竟是內心的淡定和從容。

不要滿懷焦灼期待子女常回家看看，子女們有各自的生活和事業，他們像永不停歇的陀螺一樣，上有老下有小，『老』是夕陽，『小』是『朝陽』。

『朝陽』總比『夕陽』更令人關注和憧憬，這是動物繁衍生息的法則，是規律，誰也不能違背。記住，年輕人永遠比老年人忙。

人生，夫妻也好，母女父子也罷，不管是怎樣的水乳交融，心心相繫，每個人都是生命的獨立個體，因此，我們要學會在孤獨的時候給自己安慰，在寂寞的時候給自己溫暖。

老要有老的風骨，老要有老的優雅，正如春華秋實，四季輪迴，各有
風采。

暮年是美好生活的開始，是一種從容，恬闊，優哉游哉的狀態。

寵辱不驚，去留無礙，微笑向前，善待暮年的自己。」

我們這班即將退休或剛退休的人士，也開始步入暮年，這條路能
走多遠，就取決於我們的體魄和心態呢！

「每日出汗」的養生之道

我深信，我們的身體是要經常鍛鍊才可以保持狀態，令它更耐用
的。我慶幸，在我的中學時代，遇上一位好的體育老師，由那時
起，他已經灌輸我們做運動的好處。

這位體育老師今年78歲了，早已退休，但他仍然定期回校做義
工，協助現時的學生和舊生做器械操。早前我們一班同學跟他聚
舊，他分享了他的養生之道。一言以蔽之，就是每日做一些令自
己出汗的運動，因為出汗可以排毒。

這位老師最推崇的運動就是長跑，他特意向我們那一屆的中七甲
班下了戰書，要我們號召全班同學，一齊穿起運動鞋，回校再跑
25個校圈，為母校籌款。我也答應了一班舊同學，回校跟他們
及這位老師，一起跑足25個圈。

退休一族的 3 個 W

對於我這位老師來説，這樣的一種退休生活，實在既健康又充實，我祝願他身體健康，永遠都活力充沛。

這一代退休的人士，大多跟這位老師一樣，擁有以下 3 個 W：

第一個是 Wealth，即財富，盡管不是每位退休人士都家財萬貫，但大部分已是生活無憂，可以「呢度去，嗰度去」。

第二個 W 是 Wisdom，今時今日的退休一族，都受過中等或以上的教育，在社會打滾了幾十年，話頭醒尾，識飲識食識享受外，對世情都已看通看透。

第三個 W 是 Work，正因擁有一定財富及智慧，所以，退休之後，他們有條件去選擇自己喜歡做的事情，最重要是自己認為有意義的工作！

好友 Luke Sir 就是這類退休人士的典範，他那精彩的退休生活，已在他 3 本著作中跟各位分享。在此我想分享另一位我的長輩朋友的退休生活，她的精彩人生，也是在「下半場」才出現的！

我這位女性長輩已年過70，退休前是一位的士司機，學歷不高，大約只有小學程度，但她退休後的生活，卻比退休前更豐盛。

她早於 1996 年便退休，由於數口了得，也喜歡投資／投機，所

以，退休後她開始正式學投資，連衍生工具也去深入研究。結果，她的投資成績十分不俗，更在報章專欄撰稿，分享心得。

近年，她更跟一班老友記組團去外國遊歷。不消幾年，她的足跡已經踏遍五大洋，六大洲！

除了享受人生之外，我這位長輩後來更受了洗，現在每星期六和日都會到教堂崇拜，有時候也會去傳教。幾年前她開始做義工，更毫不忌諱地去協助一些沒有親人的離世者辦理身後事，成為香港少有的「殯葬專家」。

總之，退休生活確實可以很精彩，主要視乎大家如何選擇，以及是否擁有一顆赤子的心！

Inspiration 26

理想.退優

作者　　　　羅國森
內容總監　　曾玉英
責任編輯　　何敏慧
書籍設計　　Joyce Leung
相片提供　　Getty Images

出版　　　　天窗出版社有限公司 Enrich Publishing Ltd.
發行　　　　天窗出版社有限公司 Enrich Publishing Ltd.
　　　　　　香港九龍觀塘鴻圖道 78 號 17 樓 A 室
電話　　　　（852）2793 5678
傳真　　　　（852）2793 5030
網址　　　　www.enrichculture.com
電郵　　　　info@enrichculture.com
出版日期　　2022 年 12 月初版

定價　　　　港幣 $138　新台幣 $690
國際書號　　978-988-8599-90-5
圖書分類　　（1）投資理財　（2）工商管理

支持環保　此書紙張經無氯漂白及以北歐再生林木纖維製造，並
採用環保油墨。